意林

18周年

纪念书B

《意林》编辑部　编

吉林摄影出版社
·长春·

图书在版编目（CIP）数据

意林 18 周年纪念书 . B / 《意林》编辑部编 . -- 长春 : 吉林摄影出版社 , 2021.10
ISBN 978-7-5498-5037-2

Ⅰ . ①意… Ⅱ . ①意… Ⅲ . ①故事－作品集－世界－
现代 Ⅳ . ① I14

中国版本图书馆 CIP 数据核字 (2021) 第 194429 号

意林18周年纪念书B
YILIN 18 ZHOUNIAN JINIAN SHU B

出 版 人	车 强
主 编	顾 平　杜普洲
责任编辑	王维夏
总 策 划	蔡 燕
统筹策划	许树平
设计总监	资 源
执行编辑	许树平
封面设计	金 宇
美术编辑	岳红波
发行总监	王俊杰
封面供图	锐景创意
开 本	700mm×1000mm 1/16
字 数	150千字
印 张	8
版 次	2021年10月第1版
印 次	2023年4月第3次印刷

出 版	吉林摄影出版社
发 行	吉林摄影出版社
地 址	长春市净月高新技术开发区福祉大路5788号
	邮 编：130118
电 话	总编办　0431-81629821
	发行科　0431-81629829
经 销	全国各地新华书店
印 刷	天津泰宇印务有限公司

书 号　ISBN 978-7-5498-5037-2	定 价：18.00 元

目录

目录

牵骆驼的人

□尤 今

决定骑骆驼进入撒哈拉大沙漠的那一天，晴空万里，云彩全无。

太阳，似放出千支万支烙红的毒箭，不分青红皂白地猛烈发射。风着火了，气势汹汹地燃烧着大地。

牵骆驼的，是个土著，皮肤很黑、牙齿很黄、皱纹很多、话很少。

起伏有致的沙漠，被烙得冒着袅袅的烟气，而他，竟赤着足。那双千锤百炼的脚，皲裂成比世界地图更为复杂的图形。

牵着骆驼，他低着头，走。走，走，走。走进空旷而苍茫、美丽而诡谲的沙漠。

空荡荡的大地，漾出一圈一圈金色的亮光，把干干净净的天映照得好似绸缎一般明亮，人置身其中，有一种虚幻的瑰丽感。

偶尔风来，我戴的帽子逃走了，牵骆驼的那人，便在齿缝间发出"嘬嘬"的声响，让骆驼驻足，然后，以比风更快的速度去追。

帽子追回来后，他木然地递给我，浑浊的眼珠，好似死鱼般呆板。

沙漠的景致，不是平平坦坦一望无际的空洞，更不是死死板板全无变化的单调。沙与风，是一对胡闹的伙伴：风一来，沙便活泼地飞舞，它旋呀转呀，变出千姿百态，幻化成万种面貌。于是，在闪烁的金光里，我看到曲线玲珑的少女醉卧沙地；在荡漾的金波中，我见到巨大的鲸鱼搁浅沙滩。

撒哈拉大沙漠，就像是一缕充满诱惑的幽魂，把无数异乡人纳入它宽阔的"胸膛"，让他们难以自抑地对它萌生爱意。

一路行去，啧啧赞叹。

牵骆驼的人那张黧黑的脸，露出了蜻蜓掠水般的笑意；原本死鱼般的眼珠子，也隐隐约约地闪出些许亮光。

走着走着，也不知走了多久，眼前突然出现了一片绿色。那悦目的绿色啊，蔓延、扩充，绿色的面积越大，感觉就越凉快。

啊啊啊！是沙漠的绿洲啊！

这时，牵骆驼的人喉间忽然发出了"咔咔"的声响，骆驼屈膝、下跪。

我从骆驼背上溜下来，他指了指前面那条潺潺流动的小溪，率先跑了过去，用手掌掬起一把清澈的溪水，洗脸；然后，抬头看我，晃动着一脸晶亮的笑意。

美丽的沙漠是他的自豪，清凉的绿洲是他的快乐。

牵骆驼的这个人，把他整个生命糅进了沙漠里。❀

（图/HHYM）

伟大的猴子

□李汉荣

深夜，几只猴子长臂牵着长臂，从树上倒吊到井下，目光专注地望着水中的月亮，它们要把它捞起来。

这个故事和画面，从小时候至今，几十年过去了，一直牢牢地留在我的记忆里。现在，我有时闭起眼睛，就看见那几只猴子，仍在倒吊着，而月亮，仍藏在水下。

这个故事的原意，似乎是善意地嘲讽猴子的愚蠢：地上与天上不分，真相与幻影莫辨，徒劳地浪费时间和生命。

这样说似乎也没错。但是，多年来，我一直觉得把这几只猴子视为愚蠢过于简单了，难道到井里捞一条鱼、捞一把黄金才算聪明，甚至是绝顶智慧；而试图把水底的月亮打捞出来，就注定愚蠢、荒谬？

我想，那几只猴子并非仅仅为了果腹才去捞月的，猴子们在树上出没，它们的生活来源主要在树上，水里的那个月亮，肯定不是食物，这点猴子们是知道的。那么，它们为何不嫌麻烦、冒着有可能集体沉没的危险，倒吊着自己，忍受着晕眩，去捞那水底之月呢？

这个过程充满悬念、迷狂，过程的尽头是月亮，它藏在水下，悬于高天。

不能升天摘下它，那就入水捞起它——这群猴子就这样与命运认真地做起了游戏。

天上的月亮只有一个，而水中的月亮却多到无数，海中之月、湖中之月、河中之月、溪中之月、泉中之月、碗中之月，甚至，一颗露水、一滴清水里，都藏着一个月亮。

这就是说，世间有无数等待打捞的月亮。

当然，也许那几只猴子捞月未成，变得聪明起来、实惠起来。从此除了吃喝生育，再也不做捞月的游戏了。但是，我情愿它们沉浸于这个伟大的游戏之中，吃喝之外，陶醉着捞月；生育之外，喜悦于追逐幻想。

如今，也许所有的猴子都已进化得绝顶聪明，都成了标准的猴子，吃喝生育之外，它们不再对任何月亮感兴趣，无论天上月，还是水中月。

它们只看重身上的利爪、嘴边的吃食。

所以我时常听见山林里的传闻和动物园猴山的故事：为了争夺猎物，它们发动了一场场战争，猴的部落里，弥漫着仇恨和血腥，善良的猴，根本无法活下去。所以，猴子一出生，就要接受仇恨教育和战争训练。

我因此对活在我记忆里的那几只猴子充满怀念和敬意——

它们倒悬着自己，与生存的残酷法则保持了相反的方向，在血腥之外，在燥热的丛林之外，它们打捞清凉的月亮。

即使它们两手空空，即使它们失败了，它们，也是伟大的猴子。

（图／兜子）

一起坚强

□莫小米

　　大学毕业，精通英语、日语及播音主持。以翻译的身份加入一个青少年帆船培训项目，从此爱上了帆船运动，培训结束后，留在了帆船俱乐部工作。

　　没有航海这件事，宋坤已经很优秀，但她想更优秀。她想参加克利伯环球帆船赛，这是世界上最具影响力的航海赛事，全部赛程达三万五千海里，历时十个月。

　　航海，要有强健的体魄，更要具备多种知识：洋流、季风、国际交通规则、无线电通信、自救与互救……挑战不是一点点。

　　更何况，漂在海上，有随时可能袭来的危险。一不小心，就是生死考验。后来她如此形容："在船上就是生，稍微往右五十厘米，就是巨浪下的长眠。"

　　但宋坤想试试看。

　　说件小事。有次切土豆，一个浪打过来，她手一抖，左手食指的指尖被削去大半，血流得到处都是。一起当值的男船员看到后，无动于衷，揶揄她说："姑娘，为了逃避洗碗，你这本钱下得有点儿大了吧？"

　　在海上，呻吟换不来同情，没人宠爱你，不会因为你是女生而照顾你，只会看你在船上能给别人带来什么，给团队带来什么。你付出的越多，获得的尊重越多。

　　一次航行中，宋坤在船上不慎摔伤，尾椎骨断裂，几乎一个月不能坐和躺，但只休息了六个小时，便继续工作。她把医药箱里的止痛药都吃完了，每四小时吃一次不同的止痛药，直到二十七天后船停靠旧金山港。

　　宋坤成为首位完成环球航海的中国女性。

　　如此坚强，从何而来？来自兴趣，来自信念，都对，但还有更具体的支撑。

　　在下定决心之前，她曾试探性地问过妈妈："我去环球怎么样？"妈妈当即回答："打断你的腿。"这出于人之常情。

　　不久，妈妈查出患了肝癌。

　　妈妈躺在病床上问："你去航海的事怎么样了？""我不去了。"这是真心话，虽已做了很多准备，但她打算放弃航海，陪伴妈妈。

　　可是妈妈说："我不信你能放下。你去吧，我会好好配合治疗，等你回来。我不想留遗憾。"

　　最终，航海的决定，是妈妈为女儿做的。她们约定，一个在家和疾病做斗争，一个在海上和风浪做斗争。谁都不能放弃。

　　宋坤回家不久，母亲就去世了。她的癌细胞早已转移到了骨头，但一直等着女儿回来。

　　一起坚强，才更坚强。🌿

（图/豆薇）

金鹅的羽毛

□星 云

从前，有一对做木工活儿的夫妇，他们恩爱非常。这个木匠很疼爱他的妻子，每天努力工作，希望能够多赚一点儿钱，让妻子过富裕的生活。虽说如此，木匠的所得毕竟有限，不富裕的生活，他心里常觉得过意不去。

后来，木匠病死了，由于生前不懂得行善，又没有智慧，所以阎罗王判决他要堕落到畜生道。又因为他为人老实，所以阎罗王就给他一个机会，让他自己选择要做哪一类的畜生。

木匠就向阎罗王要求说："我想当一只有金色羽毛的鹅。"

"哦，为什么呢？"阎罗王好奇地问。

"过去我很贫穷，没法让妻子过好日子，心中总觉得过意不去。想起过去夫妻恩爱，我希望能化成一只拥有金色羽毛的鹅，重新回到她的身旁。这样一来，她每天可以拔我身上的一根羽毛去卖，日子会过得好一些，我也了了一番心愿。"

于是，木匠就投生为一只金鹅，重回家里。

金鹅每天站在破落的木窗下，深情地望着爱妻。妻子起初看到这小鹅金色的羽毛，觉得很奇特，不禁多看它几眼。但金鹅天天准时到窗口，她也习以为常。她仍忙于家中的生计，每天早出晚归，无心多关照这只金鹅。

小鹅很快就长大了，起初妻子看到这只金鹅的羽毛这么漂亮，十分疼爱它，舍不得让它受一点儿伤害。木匠便托梦说："我的金羽毛像黄金一样，是可以卖钱的，你每天就拔一根去卖吧。"她便因此照着去做，每天拔一根羽毛去卖。

就这样，每天卖，每天卖，卖出兴致来了。妻子心想：每天只拔一根，能卖的实在太有限了，如果能多拔几根来卖不是很好吗？于是不顾金鹅的痛苦，每天拔上好几根。最后金鹅实在痛得无法忍耐，心中起了怨恨：夫妻的感情，到了要钱的时候，就完全变质了，难道你一点儿都不体谅我的痛苦吗？

夫妻的爱情，要建立在彼此的了解与体谅上，只为金钱结合的爱情，千金散尽，爱情也烟消云散了。金鹅因为当初护妻的爱心，平凡的羽毛变成黄金，最后却忍耐不了妻子的要求，失去了金色羽毛的特权。

台湾地区近年来，四对夫妻就有两对步上离婚的末路，昔日的恩爱，如同金鹅的初心，万般顾念心头的爱妻，许诺给她一个金色富足的未来。

但由于彼此不能忍让与体谅，不肯多听对方的心声，最后，彼此失去当初美如真金的美满婚姻。

金鹅的羽毛，靠夫妻双方爱护，银色的夫妻，金色的伴侣，白头偕老的不二法门，不外乎"忍让"二字。

（图/小栗子）

穷鸟和富鸟

□朱永波

鸟儿里面也有穷富，它们的穷富主要体现在食物获取的难易程度上。比如有的鸟儿为了吃口食物你争我夺，甚至丧命；有的鸟儿食物却来得很容易，只要它愿意，整个大自然都是它的粮仓。

以蜂鸟为例。全世界的蜂鸟有300多种，主要分布在南美洲，它们90%的食物为花蜜。由于飞行速度快，采食花蜜使用的悬停技术耗费能量多，所以蜂鸟必须不停采食，一天要吃超过自身重量一半的食物才可以维持身体的正常运转，这就必然要求有更多的花可供它们采。花虽然在森林里随处可见，但蜂鸟同样很多，为了抢夺资源，蜂鸟之间必然会产生争斗，大打出手的情况经常发生。甚至，有时候蜜蜂也会和它们竞争，而不幸被蜜蜂蜇到，蜂鸟便会毙命。

但是有一种蜂鸟活得没那么艰难，它们要食用的花蜜香甜可口，花儿也随处可见，并且没有别的种类蜂鸟和它抢夺。这种鸟便是刀嘴蜂鸟。刀嘴蜂鸟的体长14厘米左右，鸟喙却在8厘米以上，是全世界唯一喙长过身子的鸟类。鸟喙长有一个明显的好处，那就是可以吸食花冠很长的一类花的花蜜，其中生活在南美洲的攀缘植物西番莲属的花蜜便是刀嘴蜂鸟的主要食源。西番莲属植物喇叭形的花冠有10多厘米长，刀嘴蜂鸟的喙长刚好可以够到，而其他蜂鸟因为鸟喙短于这种花的花冠，就只能"望花兴叹"了。

从进化角度分析，刀嘴蜂鸟的超长喙和西番莲属植物的超长花冠是为了相互适应，协同进化而成的，二者形成专属合作伙伴后，花儿不再为授粉发愁，鸟儿也与世无争地拥有了铁饭碗。

在茂密的森林里，举目都是自己带锁的粮仓，而且没人和你抢，从这个角度看，刀嘴蜂鸟是何其富有！而别的种类的蜂鸟就可怜多了，它们不得不为了温饱而风里来雨里去，不得不为了一口吃的而整日和别的蜂鸟喋喋不休地争吵打斗。

然而，欲戴王冠，必承其重，刀嘴蜂鸟虽然富有，却也有烦恼。由于喙太长，它们休息的时候必须把头抬起，这样才能避免长长的鸟喙戳到树枝树叶，导致自己站不稳摔下树去，而那些喙短的"穷鸟"却可以把喙插进翅膀底下惬意地睡上一觉。其实，以上都不是最麻烦的，最麻烦的是刀嘴蜂鸟对西番莲属植物的高度依赖性。试想如果有一年由于气候、病虫害等原因，西番莲属植物长得不好了，那刀嘴蜂鸟的日子便必然不好过了，如果竞争不过别的短喙蜂鸟，它的性命都是问题了。

鸟儿也有贫富，只是穷鸟和富鸟各有各的悲喜，穷鸟为了生活奔波却活得自由，富鸟看起来光鲜却身不由己，且时时充满危机。由此可见，大自然是何其聪慧，自然的辩证法，也在鸟儿之间得到了极佳的诠释。❀

（图/点点）

去爱那些幸福的小事

□黄 轩

我今年其实就拍了一部戏，除了忙一些闲散的工作，就是到处旅行。前不久，我就去山里闭关了，关掉了手机，待上一个星期，然后就是发呆、晒太阳、看蓝天。近期我会去印度，也是听课，晒太阳。

第一次读白居易的《负冬日》，我就喜欢上了。"杲杲冬日出，照我屋南隅。负暄闭目坐，和气生肌肤。初似饮醇醪，又如蛰者苏。外融百骸畅，中适一念无。旷然忘所在，心与虚空俱。"

在诗里白居易讲了一件很小的人间美事，那就是晒太阳。我也爱晒太阳，尤其是一边晒一边发呆。那种感觉就像白居易在诗里写的那样"初似饮醇醪，又如蛰者苏"。

能如此专注地去享受一件小事，并可以达到忘我的状态，是幸福的。但现代人的生活非常忙碌，想要专注，其实很困难。而白居易的这首诗，让我们看到了另一种生命状态的可能性，那就是在小事里完全投入，是有机会获得极高的精神愉悦的。这种投入，就是"专注"。只有"专注"，我们才能真正做好某件事情，既体会到其中最小的兴趣点，也能感悟到某些不可言喻的大道理。

我常常觉得，一切奇妙的、意想不到的启迪，都可以从"专注"中来。那是上天给予我们的礼物。但"专注"必须要通过训练才可以获得。比如拍戏的时候，就格外需要专注。

由于我们平时把自己的生活打得很散乱，想法又格外多，偶尔找不到状态也是有的。每到这时，我中午就不吃饭，找空在车里坐着——只是坐着，什么都不想，尽量安静。我发现，只要一安静下来，内心就会涌现出声音，就可以触碰到那个内在的力量。

在电影《妖猫传》中，我饰演唐代大诗人白居易。刚开始的时候，人物状态也没有找好。陈凯歌导演就对我说："轩儿，我对你只有一个要求，每天晚上睡觉前静坐十五分钟。"

每天静坐十五分钟，坚持下来，真的很奇妙——它所带来的不仅是安静，竟然还有内心的柔软和洁净。

和大多数诗人一样，白居易也是多情的，天真的，细腻的，情绪化的，有点儿孩子气的。但我真爱他的那种投入忘我以及天真烂漫。现实生活中，我们常常收着自己，压着自己。但白居易不同，他的世界里，可以爱细微的小事，也可以爱未曾谋面的女人。他是专注的。

愿你我都有这样的专注时刻：晒着太阳，发着呆……

（图/李倩莹）

给人欢喜

□闫　晗

有一个故事《妈妈最爱吃鱼头》，讲的是妈妈把鱼肉挑给女儿，自己只吃鱼头，女儿真的以为她爱吃鱼头，等到自己做了母亲，才发现，妈妈其实是舍不得吃，要把最好的部分留给孩子。这个故事是我妈的圣经，她有一种"遭罪"和"舍不得"的信仰，而享受是一种罪过。

我不以为然——我爷爷真的喜欢吃鱼头：鱼脸上的肉最金贵，鱼身肥厚的大肉并不入味。古代绑匪绑了人总要拿条鱼来试：第一筷子吃鱼身的是穷人，伸向鱼脸的才是有钱人，妈妈自然坚决不信。等到经济条件好些的时候，她依旧难改"不舍得"的习惯，总要先吃上一顿的剩菜，于是常吃剩菜。

在我眼里，她勤劳节俭，有时却让人觉得难以取悦。给她买鞋，哪怕挑对了颜色、款式，一旦知道价格之后，就撇撇嘴。给她买的首饰经常搁置。家里的高档水果放坏了也不会碰，却要买超市特价的处理水果。她的口头禅是："财主兴过了，穷人才摸着了。""我是舍不得，才留给你的。"带她出去玩或者吃饭，常常愁眉苦脸，给的是差评：不值，几百块在家可以买好多鱼肉。有时反对的意见表达得过于激烈，语气都显得有些恶狠狠的。每当这个时候，我就有点儿难过。我希望给你带来好的生活，看到你享受的欢喜，而你却不肯给我这种成就感，这简直成了两代人之间的芥蒂。

东野圭吾的小说《信》中提到一个细节：主角的妈妈喜欢吃糖炒栗子，小时候和妈妈买了栗子回来，兄弟俩将栗子剥给妈妈吃，看到妈妈高兴的脸，他们也很开心，多年后回想起来也很温暖。我理解这种感受，喜欢一个人，就愿意看他享受人间的快乐，这种心情无法掩饰。《水浒传》里阎婆惜发现了宋江落下的金子，首先想到的是给情郎张文远买东西吃，因为他最近瘦了。

我们的许多文学作品都会提到，妈妈最开心的是看孩子大口吃饭。其实，妈妈也可以有享受生活的欢喜，而孩子也愿意看到为妈妈付出后她脸上享受的表情。

《水浒传》里宋江的金钱观让我印象深刻。他收了晁盖送来的一条金子，之后见到卖汤药的王公时，突然冒出一个念头："何不就与那老儿做棺材钱，教他欢喜？"金钱不是拿来囤积的，最本质的作用是"教人欢喜"。宋江对这点看得通透，所以人气极高。而《水浒传》的作者又给他开了金手指，这位"及时雨"从不缺钱，送银子给武松置衣服行头，给李逵二十两赌资，钱都花到了位，让兄弟们欢喜且死心塌地。

给人欢喜，是世间最大的幸福。这才是奋斗的动力。我不想看亲人省钱，更希望看到他们享受的欢喜。🌿

（图/吴敏）

在松林里睡眠

□ 牧 童

少年时，在野地里睡眠是经常的事。我最难忘的一次睡眠，是在凤凰山的松树林里。凤凰山离我家有十几里路，同村的孩子经常结伴到那里采野菜、拾地软、捡蘑菇。有时，我也一人上山。

那年秋天，我独自上凤凰山捡蘑菇。到了山上，走进松林，雨后的松树散发着浓郁的松香气息。我在林子里转了一会儿，竟没有看见想象中遍地的蘑菇，只发现松软的地上有一些小脑袋探头探脑，藏在泥土里不肯露面。我不忍心向它们下狠手，它们是孩子，我也是孩子，孩子都是怕受惊、怕疼的。因为已经赶了十几里路，我累了，就躺在厚厚的松针上，听着鸟鸣声和林中的风声，一会儿就睡着了。

睡了有几百年之久（年少的时光总是地久天长，酣睡一觉，就有一梦千年的恍惚之感），一阵奇痒将我惊醒。一只不知名的小鸟竟歇在我的头发上，为我抓痒痒，整理发型。我手一伸，一睁眼，小鸟忽地飞了。我在哪里？不像在家里的床上，不像在河边的青草地上，也不像在《水浒传》中的阴森林子里（那时我已读过《水浒传》的连环画）。终于完全醒过来，哦，我是在凤凰山，在松树林里，我是来捡蘑菇的那个孩子。

这时，阳光透过林梢洒在地上，我站起来，一看，呀，我的面前，是一片片、一簇簇彩色的蘑菇——白色的、灰色的、粉红的。妈妈告诉我，白的是槐树变的，灰的是杨树变的，粉红的是松树变的，它们没毒，不是毒蘑菇，它们是林子里的精灵。

我蹲下来，无比惊喜又无比心疼地面对着它们。我不忍心采下它们。受了一缕阳光的邀请，在我熟睡的时候，它们从各自的梦境里醒来。经过漫长的跋涉，它们走出笼罩了它们数千个世纪的夜雾。终于，它们睁开眼睛，看见了一个孩子，与它们相似的孩子，也在做梦的孩子，多么可爱善良的孩子！除了梦，他身上竟没有任何别的东西。它们也是这样的：除了梦，它们身上没有任何别的东西。于是，它们提着盛满露珠和清香的花篮，提着一生的心愿和梦，围过来，围绕着一个孩子的梦，它们静静地绽开了各自的梦。

此时，没有一个人知道，没有一个人看见，松林深处，只有那个孩子亲自参与了这个天堂里的故事……

你当然能想到故事的结局：那个孩子没有采蘑菇，他柔软的手几次伸出，最终又返回，返回到柔软的位置。他怎么忍心拔掉和撕碎那些纯真柔软的梦呢？他提着篮子轻轻地走出林子，他的篮子是空的，然而，他的篮子真的是空的吗？他空空的篮子里，盛满露珠、鸟鸣、梦境，盛着一生中最纯洁的记忆。

（图/蛔蒽猫）

第一支华尔兹

□梁凤仪

我呱呱坠地时，家境其实颇富有，其后家道中落，穷了。

然而贫寒的是父母，从小至大，我都丰衣足食。六十年代末，我念大学，其时大学毕业生平均月薪八百元，父母已为省钱而住进廉租屋去，而我每月的零用钱却高达三百大元，另加上大学住宿与膳食费用也不少。宿舍里头经常宴请夜宵的是我，同学们在楼下茶水部饮可乐，大笔一挥，签梁凤仪的单，永远让我雄踞最高消费者的宝座。

当时，我唯一受的苦，是嫌弃家的廉租屋，恨父母没有出力维持住私家洋楼的架势。假期总是留在宿舍，不肯回家去，因为一脚踏进华富村，就有自卑感。双亲想念我时，只好远征大学宿舍。

生活上，父母永远让我身光颈靓。教养上，他们更悉心栽培。母亲甘于食贫，从未试过倒掉隔夜饭菜，把钱省下来，让我在课余学钢琴、舞蹈、书画。还有，刻意安排我跟富贵人家的孩子来往，让我从中领悟他们的说话、仪表与气派，坚持要我走在人前，精神与外貌都不露半点儿寒酸相。

商场变幻莫测，有人富贵有人贫，父亲虽是后者，跟他一道出身的老朋友都是金融界内享有盛名的。我还记得父亲当年说的一句话："我梁卓永不用他们带挈，只求他们提携我的女儿。"

十三岁那年，我已长得老高。父亲求了他的上司，即所属银行的总经理，一位出身香港豪富世家而又仁厚慈爱的康伯伯，把我带去出席上流社会的餐舞会。我那条晚装裙子是母亲整个月的菜钱，舞池上，康伯伯教我跳第一支华尔兹，身旁的一对璧人正是名满香江的影后尤敏伉俪。

父母对我的期许是："不必一定嫁入豪门，然而，要有随时站在豪门之内而不失礼的气势。"

何其巧合，长大后我仍与金融界结下不解缘，仍无可避免地流连于富家大族的圈子之内。对于豪门的种种形态，我那么清楚，于是决心写了我的一部长篇小说《豪门惊梦》。

家中一角，墙上挂着父母的遗照，相片下有张小几，每逢我有新书出版，必放一本在那儿供奉双亲，当我把这本《豪门惊梦》轻轻放下时，微抬眼，泪影蒙眬中，似见双亲笑意更浓。

（图/李倩莹）

坐于盛夏

□赤 壁

盛夏，一个人在家，读白居易的《行香归》，总让人觉得有一种喜气安稳的美。

出作行香客，归如坐夏僧。

床前双草屦，檐下一纱灯。

珮委腰无力，冠欹发不胜。

鸾台龙尾道，合尽少年登。

这样的喜气与安稳，带着作者纯净的内心和略微的自嘲，看得人心如静止的波纹，有蜉蝣从水面上快速滑过。

坐夏之僧，心思要有多沉稳，燥热烦闷的夏日，一僧枯坐，耐得住蚊虫的叮咬，耐得住汗珠的侵蚀，耐得住热风和蝉唱，坐如钟，也坐成了炎炎夏日里最喜气安稳的欢喜佛。

盛夏里，似乎人是坐不住的。喜欢去林荫处避暑，或者是到游泳馆去扎猛子。幼时，我们常去家乡的涡河，那时候胆子肥，跟着一帮大孩子去游泳，若不是被蚂蟥叮了，还不知道上岸。上了岸，蚂蟥是被小伙伴用鞋底抽下来的，伤口处出了血，以后便对水后怕了。

出了门，就是一身汗。总让人想起老舍先生《骆驼祥子》里的句子："整个的老城像烧透的砖窑，使人喘不过气来。狗趴在地上吐出红舌头，骡马的鼻孔张得特别大，小贩们不敢吆喝，柏油路化开，甚至于铺户门前的铜牌也好像要被晒化。"多年以后，总会想起这样的句子，太传神了。当不再为果腹而发愁的时候，夏日里，独对一盏茶，一丛花的静默与安宁，也算是一种别样的奢侈吧。

坐于深夏。深夏好似一幅繁复的图景，外面循着一条幽静的小路走，一直走到一处开着门的四合院，在其中一棵大树下坐下来，树是楝树，细碎的楝花开得正好，坐下来，有麻雀在啄食楝枣，掉了一颗，正砸在头上，我们动也不动，这是夏日里安宁从容的场景。

泡一盏茶，可以是粗糙的老茶梗，也可以是陈年的普洱，或者是当季龙井，放凉后再喝。不是有意等茶凉，而是在不知不觉的沉思中，茶已然凉了，喝茶的境界恰似如此，你喝茶，茶温刚好，品咂三口，一饮而尽，好不畅快。

坐于深夏的人，适合养猫。鹅太吵，来人且叫，适合王羲之这样的大书法家来养。狗儿在暑气中哈着舌头喘气，也有碍于沉思。一个人坐着，脚下，刚好有一只猫，在假寐。这场景，一潭水一样的静，才配得上坐于深夏的人。

（图／罗再武）

我是来观察生活的

□明前茶

　　大哥家的女儿考上了公务员，入职没多久就被派往江西某市下面最偏远的一个乡锻炼。一去，没顾得上看一眼青山绿水，她就被繁杂的乡间事务搞得头晕。她的工作，除了有一搭没一搭地招商引资，帮村民申请小额贷款以外，绝大多数时间，都是用来调解各种纠纷。

　　乡人的心眼儿真小呀，或者说，这些无依无靠的老年人的脾气真犟呀！侄女一有机会就对我诉苦：比如，宅基地上的果树，枝丫伸到邻居家去了，发现那枝丫果实稀疏，非说是邻人偷吃了，其实也有可能是被鸟偷吃了呀！又比如，农家乐的团队客人被人在停车场给截了，这边被截了客人的人家，就对着人家院门像狂风暴雨一样诅咒着……"一去办公室，就觉得脑壳里装了一台破石机，整天哐啷哐啷响着……"

　　在大城市长大的女孩哪里吃过这种苦，于是跟全家长辈说要辞职。我提议说："那就再等三个月，如果还是熬不过去就辞职。这三个月，你不妨抱着这样的心态来工作——我是来观察生活的。"

　　侄女迷迷糊糊地听进去了。心态一变，她的怨言少了很多。观察那些看似不可调和的乡间恩怨，她忽然发现，留守老人们生了很多气，计较一点儿鸡毛蒜皮的利益，是因为他们生活的格局过于狭窄。他们从来没有见识过外面那个天地。她开始觉得留守的老人们也很可怜，不停地调解纠纷，也不停地劝说出门打工的年轻人接老人去城里看一看，看看城里的老人家如何在生活。

　　当她诚恳地说出自己的建议时，却遭到了乡人好意的讪笑——果然是城里的姑娘不了解行情。老人们外出打工的子女，自己还睡着建筑工地的铁皮棚屋，或者小餐馆堆满面粉的阁楼，老人去了住哪儿？一个观察者的建议就这样被搁置了。

　　三月的寒流到来时，侄女接访了一次老妇人的跳塘事件。起因是婆婆差点儿耽误了孙子的盲肠炎，从外地赶回的儿媳妇气急攻心，怪罪了婆婆几句。带着四个孙儿、种着八亩地的老太太不声不响跳了塘。被救起的老太太不哭也不嚷，不吃也不睡，就是一股子绝望的平静。儿媳妇懊悔痛哭，拉着侄女的手说："你快劝劝我妈，别做傻事，闹成这样我们被戳脊梁骨呢……"

　　侄女赶紧让这不晓事理的妇人离开。她见老人依旧冻得瑟瑟发抖，拿出自己的棉袄给老人披上。为安慰她，侄女蹲下来，握着婆婆的手，暖着。那是一双什么样的手？像尼龙板刷一样粗糙，像冰一样寒凉，青筋毕露又满含愁苦，仿佛一生的坎坷都在这双伤痕累累的手上了。那一刻，侄女的心被一阵感同身受的辛酸揪住了。

　　她是来当旁观者的吗？现在，她终于承认她将与这里的人同呼吸共命运。🍎

（图/蛐果猫）

扶不起的"阿斗"其实也爱读书

□赵柒斤

"三国"不仅讲了战争与谋略，也说了不少勤读书的故事，比如大家都很熟悉的"吴下阿蒙"和"士别三日，刮目相看"，说的就是三国时期吴国一代名将吕蒙发愤读书学习的故事。

刘备的儿子刘禅也是一位善于读书学习的好同学。《三国志》记载，刘备给刘禅的遗诏中有一段话："射君到，说丞相叹卿智量，甚大增修，过于所望，审能如此，吾复何忧？勉之，勉之。"这段话的意思是说，诸葛亮对射君称赞刘禅的智慧，射君又将赞辞告诉了刘备。刘备很高兴予以勉励。诸葛亮不是阿谀奉承之人，刘玄德也有知人之明，由此可见刘禅绝非鲁钝之人和"扶不起的阿斗"。

刘禅除了拜伊籍为师学习《左传》，还苦读诸葛亮亲自抄写的《申子》《韩非子》《管子》《六韬》等典籍。对于刘禅读书学习的成绩，诸葛亮在《与杜微书》有个评语："朝廷年方十八，天资仁敏，爱德下士。"从处理军国大事、刘禅头脑始终非常清楚这点不难发现，刘禅读书达到了学有所用、学以致用的境界。

譬如诸葛亮急于北伐时，他规劝说："相父南征，远涉艰难；方始回都，坐未安席；今又欲北伐，恐劳神思。"诸葛亮死后，刘禅立即停止了空耗国力、劳民伤财的北伐，并严令蒋琬不可轻易出手；为防丞相大权独揽重现，他以费祎为尚书令和大将军，主管政务；以蒋琬为大司马，主管军事，形成相权军权相互牵制的新格局。

诸葛亮对子、侄、外甥的管教很严格，按现在的话说，完全称得上是一位"鹰爸"。《三国演义》没提诸葛亮教育下一代的事，但《三国志·诸葛亮传》中写了很多。

如他在一封《诫子书》中就这样说："君子为人，总是以心静来修养自身，以俭朴来培养美德。不淡泊寡欲就不能使心志明确如一，不是内心宁静就无法达到高远的境地。"

在《诫外生书》中，诸葛亮也反复告诫："志向应当高远，向先贤学习，抛弃琐碎的情欲，不要犹豫疑滞。"意思是说，如果志向不强毅、意趣不慷慨，只是忙忙碌碌地拘滞于俗务之中，默默无闻地为情欲所束缚，就只会使自己成为平庸下流的人。

由于家教严格，诸葛亮的儿孙都非常有出息，儿子诸葛瞻、孙子诸葛尚拒绝魏国名将邓艾劝降战死绵竹；另一个孙子诸葛京随才署吏，先为县令，"竹林七贤"之一、后投靠晋廷、官拜尚书仆射的山涛极力举荐他，但诸葛京不为所动，最后凭自己的能力做了江州刺史……

（图/曹黑黑）

道不同，不相为谋

□金鱼姬

一次旅行中，我认识了这样一对夫妻：走到哪儿，丈夫都拿着一本书在看；而妻子则是购物狂，走到哪儿，她首先会问的就是："哪里有购物的地方？"

那次的行程是在台湾。一整天自由购物时间，妻子全部泡在商场里，买了化妆品又买包包，买了鞋子又买药……而那一整天，她的先生居然守着妻子不断买回的东西，坐在喧闹的商场一隅，安静地做他的"书呆子"。我恰巧见到，对那位妻子说："你先生真是好脾气。"她却一翻白眼："带他出来玩，他却整天抱着本书。真是浪费钱，早知道不要他来，他那份费用够我再多买几个包了！"

我有点儿腹黑地想，他们此行可能都"另有目的"——妻子想来花钱，而丈夫只想用自己的存在感，监督妻子少花点钱。我很想对他们说，他们浪费了一次亲密交流、促进感情的好机会。但我不完全了解这对夫妻彼此间相处的方式到底是什么，也许这种互相监督、互相翻白眼，正是他们彼此间的一种生活情趣？我只是觉得，两个人要携手走过大半生，那就像一场漫长的旅行，如果没有共同的人生目标，总会在哪一个岔路口出现问题吧？

说起来，还有件事想分享：一个女孩拉着男友去旅行，男孩也许是出于自小养成的习惯，一路上都相当节约。他会随身背很多瓶子，装着自己和女友需要喝的水。而这些水，几乎都是在旅馆或饭馆里免费装上的；在饭馆里吃饭时他总是最后一个停下筷子，因为不想浪费粮食，哪怕下一行程要去爬山，他也会坚持打包没吃完的饭菜；他会带走每一间住过的旅馆里所有可以拿走的东西，包括用过的一次性拖鞋，或者一个针线包、一小沓床头信笺纸……女友忍不住嫌他啰唆，说："出来玩，你能不能洒脱一点儿？你这样都不像个男人，搞得我在朋友面前很没面子！"他却嘀咕："这些地方有什么值得花那么多钱来玩？我带你去我们老家后山上随便转一圈，都比这风景漂亮。"结果，还没等到旅行结束，两个人便驴头对马面，闹分手了。节俭是美德，但在不认同的人眼里，只能是一种罪过。

我常跟朋友分享一句话："不管目的地是哪里，一趟旅行好不好玩，还是要看你跟什么样的人一起玩。"一个人，玩的是寂寞；一群人，才能玩出快活。但这群人还是要有共同的审美情趣、道德标准，或者类似的兴趣、爱好，才能玩出火花，甚至交到"一辈子的朋友"。太多的不同，势必会带来一场不欢而散。

孔子曰："道不同，不相为谋。"或许也适用于以上两种相处方式。

（图/木木）

去做人生的学徒

□铁 凝

三十年前，听朋友讲起他的农民老父亲。这位老父亲一生赶牛车、赶马车。在城市工作的儿子决意请父亲坐一次火车，并告诉父亲要坐快车。父亲这才知道，原来火车还分快慢，就问儿子快车票便宜还是慢车票便宜。儿子答，当然是慢车票便宜。父亲惊奇地说，坐慢车的时间长，怎么反倒便宜？那时我们一边听朋友讲，一边笑，笑那老父亲的天真。

三年前在新加坡，读到一则关于跑步的故事。一个青年和一位老人清晨在公园跑步。本来跑在老人后面的青年，很快就冲到了老人的前边。他优越感十足地回头叹道："喀，你们这些老人啊，到底是跑不快了啊！"老人并不生气，边跑边对超过他的青年说："年轻人，你的前边是什么呀？"青年说："是路啊！"老人又问："路的前边呢？"青年说："还有一座桥。"老人说："桥的前边呢？"青年说："是一片树林。"老人问："树林的前边呢？"青年说："也许是山吧。"老人问："山的前边呢？"青年说："我看不见，恐怕就是生命的尽头了吧？"老人说："那你跑那么快做什么呢？"我心里一惊，感受到一种苍凉的智慧。

三个多月前我走进江南山中的一片竹海，据说，一个小学生放学回家，将书包挂在一棵竹子上，坐在竹林里写作业，写完作业就够不着书包了。真是俏皮！我仿佛看见一棵挎着书包的新竹正蹿入云霄去天堂上学。

今天，我们生活在一个世故的快时代。我忽然想起朋友的农民老父亲。我想到那个跑步的故事，接着，我的眼前不断闪现出那棵挎着书包的翠绿新竹。它的速度令我恐惧，可它挎着书包的样子又让我开怀大笑：挎着书包的竹子毕竟不那么老谋深算，它是去上学吧，是去做人生的学徒吧？

去做人生的学徒，这又让我想起卓别林主演的一部电影——《舞台生涯》，卓别林扮演一位名叫卡维罗的喜剧演员。我记住了这部电影里的一句话：当卡维罗历尽艰辛终于以他精湛的技艺博得观众狂热的喝彩时，女友激动地对他说，他的表演使同台的那些演员都成了票友。对此，卡维罗严肃地答道："不，也许我们都还是票友，要在艺术上真正有点儿造诣，人生是太短暂了。"

卡维罗的谦逊和"上学"的竹子让我感到艺术的艰辛和生命的局促。我写作，与其说是为了要告诉读者什么，不如说是在向文学讨生命。艺术和写作恰可以盈满我们的精神，放慢我们生命的脚步。在浩瀚的宇宙中，假如人生似一棵绿竹，以我这并不年轻的生命，仍愿做背着书包的那一棵，急切努力，去做人生的学徒。

（图/罗再武）

学会信任马儿

□乔梓曦

今天，是我第一次学习马术障碍的日子，此时此刻，心里的感触只有两个字——忐忑。

我学习马术有些时间了。从开始的只能依靠教练帮助才能在马上坐稳，到现在跨上"琦风"，潇洒策马扬鞭追风去，大略算一算，也有两度寒暑了。但跨越障碍，还是赶鸭子上架，头一回。

"琦风"是我的好搭档，8岁的青色半温血马，长相俊美，训练有素。教练告诉我，"琦风"能够熟练地跨越各种障碍，我完全不用担心。"信任它，不要干扰到它的跑动和跳跃，就行了。"教练信誓旦旦。"琦风"在一旁，脖子高高扬起，充满信心，但我在骑上它前，充满怀疑。

准备开始了，我双腿用力夹紧马腹，驱策它跑起来。绕过弯道，就能看到两根用横木做的十字交叉的障碍栏。"琦风"跑得很快，我耳边是"呼呼"的风声。教练在一旁大声提醒我："收紧缰绳，看方向！"

离障碍越来越近了，"琦风"一路飞奔，没有一点儿迟疑。我能感觉到它弓起马背，准备跃起。可就在一刹那，我害怕了。

我一把拉住缰绳，"琦风"收到命令，收了蹄子，急停在障碍栏前。它之前跑得太快了。惯性之下，我再也没法稳住身形，从马背滚落到地上。

在教练的责备声中，我偷眼看了一旁的"琦风"。只见它悻悻地低着头，大眼睛里都是委屈。我仿佛就是被孙悟空保护的唐三藏，"琦风"就是悟空。悟空一身本领，翻江倒海，降龙伏虎。唐僧明明什么也不用干，就能顺利走完取经路。可唐僧偏偏不相信他，结果一会儿着了白骨精的道儿，一会儿又入了蜘蛛精的套儿。"琦风"今天肯定很"埋怨"我！

晚上回家，躺在床上，我反复回想着今天的事情。取经路要一步步走，跨障碍也要一点点学，学会控制自己，学会信任马儿。等下次去马场，我要给"琦风"带点它最爱的胡萝卜，再给它洗洗澡，梳梳毛。我俩一起，战胜障碍，只是时间问题。

（图/池袋西瓜）

稠李子花，稠李子果

□朱明东

大兴安岭秋果并不多，稠李子算是一类。初到大兴安岭，家里的菜园子里就栽着几棵稠李子树。它们其貌不扬，到了晚春，枝丫上才渐渐绽出白色的小花，一朵朵，一簇簇，散发出阵阵馨香。

一点一点，一粒一粒，稠李子树悄然出果，没几天，嫩嫩的幼果挂满了枝枝丫丫。可长着长着它就不长了，不长也就罢了，它却变黑了。我跑到菜园子里摘了一颗放到嘴里。哎呀，可真涩。

我缠着父亲栽几棵樱桃树、沙果树或者杏树。父亲说："没熟的果子咋能不涩？大兴安岭气温低，不是啥树都能活。"父亲缓缓坐到炕沿上，为我讲起一个故事。刚开发大兴安岭时，正是数九寒天，可铁道兵们没有被吓倒，他们爬冰卧雪，战天斗地，硬是在莽莽群岭中建出一条壮美的铁路。那时候，铁道兵们生活很艰苦，稠李子就成了他们打牙祭的主要秋果。正值稠李子熟时，呼玛河两岸结满了又黑又亮的稠李子，可上游却发起大水来，将岸边建桥用的木材都卷进了河里。几名铁道兵乘船打捞木材。行至河中，船被激流打翻。岸上的副班长付铁虎见状，毫不犹豫地跳入冰冷的呼玛河中，在把一名战友救上岸后，又毅然向河中奋力游去。怎奈水流湍急，一个浪头过后，付铁虎就不见了踪影，最后战友们在下游找到付铁虎的遗体……

父亲告诉我，要在大兴安岭扎下根活下去，光好看不行，还要耐寒有毅力，这样才会茁壮成长。到了秋天，稠李子熟了，它就会变甜。能在大兴安岭生长的树，都是坚强的树。寒冷的日子，稠李子树忍寒受苦，任风雪肆虐，依然坚定生长。春风越岭，稠李子树绽放容颜，给大兴安岭回报灿烂的笑。风吹，它落花；雨落，它结果。当秋光洒满大兴安岭，稠李子不仅黑得明亮，也甜得醉人，颗颗吹弹可破。

那年，我在湖北工作。母亲给我打电话："想不想吃稠李子？要是想，妈给你邮点儿去。"我脑子里一下子涌出那圆溜溜黑乎乎的豆豆来。我连说："妈，您可别邮了，怪难看的，还让人笑话。"放下电话后我才反应过来。母亲哪是要给我寄稠李子，分明是提醒我：无论走到哪里，都别忘大兴安岭，别忘在大兴安岭的爹和娘。我终于在父母的召唤中，决定回到这片哺育过自己的土地。湖北朋友问，好好的为何要调回去？我笑着说，一方水土养一方人，大兴安岭的稠李子怎能离开脚下的山和岭啊？

（图/小栗子）

不乘电梯主义

□牛东平

通常，在我走出地铁车厢之后，会有两条路摆在我面前：一条是随拥挤的人流麻木地走上循环攀升的电梯，站定，然后等待被送达；另一条是走一栏之隔人迹罕至的楼梯，费力还略显张扬。有一天我突然猛醒，这一细微选择，其意义之重大，并不亚于选择信仰。

为什么要乘电梯？你可曾问过自己，或者，由我来替你进行这个苏格拉底式的诘问。有人会说，机械装置本就为便利人类而生，为何不乘，傻吗？不乘白不乘。有人会说，通勤路上太疲惫，乘电梯省力。还有人会说，没有想过这个问题，出了地铁，大家都走向电梯，跟着人流走踏实。甚至还有人会说，问这种问题，神经病吧你。

其实地铁的换乘通道和出口是一个颇具启示性意义的地方，你看，两条迥异的道路并列着摆在人潮之前，供自由选择，这样直观鲜活的场景哪里还能找到。一条以电力机械驱动来克服重力，送人于几米之上的高空；一条以生物力学驱动，通过双腿交叉摆动，克服重力，踏上层层台阶。结果大家都清楚了，第二条路惨遭抛弃，据我长期观察，可以说是荒无人烟了。

作为一名体育人文社会学硕士，我展开了对一条电梯和两条腿的思索。思索的答案是反叛。现把我的思索附录如下：没有特殊情况基本没必要搭电梯，你得反抗。惰性和机械已狼狈为奸，体育在当代最大的意义已经变成反抗和唤醒，各种机械和案牍不断令身体感到麻木，体育再努力去消除麻木，恢复其活力。体育作为对身体的教育，这种生活中的反叛精神是最基本的。对电梯，就该有一种人类学的批判，不能一味麻木地顺从，这是在一种危机四伏的环境下对身体本身价值的返回。

批判之后，我也有一些建设性的思索。我们何不把生活中的细碎时间带入体育的视野，比如爬楼梯、走路、骑车等。难道体育必须要在装有日光灯、看台和塑胶跑道的运动场里进行吗？或者体育必须要在特定的时间？难道日常生活中就没有一种体育存在的空间？我保持怀疑。或者说这条路至今还未被人注意和发掘。借着对电梯的批判，我们能否就此重塑大腿的当代意义，想象体育的另一种可能呢？让人的身体在日常生活之中恢复其价值和活力，反正我是从此不乘电梯了，当作出行途中的健身小品，也没见得有多累。

如果这果真能成为一种生活理念，我暂且叫它不乘电梯主义，毕竟缘起于电梯。我想这个主义还在萌芽之中，会继续成长，它的种子里蕴藏着一种新鲜的价值观和方法论力量。

（图/罗再武）

穷妖怪·富妖怪

□古傲狂生

《西游记》是部奇书，借写神仙妖怪影射人间百态。笔者不才，就给大家盘点一下书里的穷妖怪、富妖怪吧。

白骨精堪称西游妖怪里最穷的一个，现在是白领＋骨干＋精英，可读读原著，你就会发现白骨精穷得叮当响，身边一个小妖都没有，连洞府都没一座，孤家寡妖一枚，妖精里的蓝领都不算哪。

女儿国的蝎子精、七绝山的蟒蛇精也是穷妖怪。蟒蛇精还没"进化"好，没啥领袖魅力；蝎子精虽然武艺高强，但许是心肠狠毒，除了毒敌山琵琶洞这处房产，没小妖帮衬，只得捉了几个丫鬟服侍。

黑风怪比这些妖精强些，好歹有了一座黑风洞，还有了苍狼精和白蛇精两个朋友。可作为妖精，黑风怪一不吃人，二不弄权敛财，却一副文艺青年的做派，还跟金池长老这个老和尚交友论道，一心修道，却偷了唐僧的袈裟，真是丢尽了妖精的脸。

富妖怪就不同了，他们有头脑。车迟国的三位"大仙"身怀求雨绝技，荣膺国师之职，名利双收。比丘国的白鹿精设下美人计，变身国丈吃香喝辣；天竺国的玉兔精一阵风刮走了公主，冒名顶替成了公主；乌鸡国的青狮精跟国王交友，非常"神奇"地取而代之。

富妖怪还懂得充分利用资源。通天河的金鱼精呼风唤雨，冒充神明，号称灵感大王，要村民奉献童男童女；金平府的三只犀牛精利用老百姓崇佛，每年元宵节假扮佛爷偷香油；金兜山的独角兕大王、小西天的黄眉怪都有超级法宝在身，连悟空都不能把他们怎样。

富妖怪还懂得团结就是力量，结成一个团队，相互照应，无往而不利。

金角大王、银角大王拥有五件无敌法宝，还认了九尾狐狸精当干娘、狐阿七大王当舅舅，虽然时运不济，被悟空兄弟各个击破，但他们的做法为其他富妖怪所借鉴。狮驼岭上的青狮、白象再加上狮驼国的金翅大鹏雕，组成西游路上的超豪华阵营。

不过，最牛的还数牛魔王一家。牛魔王五百年前就瞅准了孙悟空这只实力股，纠集七位妖王，号称七大圣；孙悟空大闹天宫后，他又来到西天路上，壮大自己的实力。老婆罗刹女开发火焰山项目，儿子红孩儿占据了号山，兄弟如意真仙则独占女儿国的落胎泉。牛魔王也没闲着，入赘积雷山玉面狐狸精家，继承了百万家财；牛魔王还和碧波潭的万圣龙王一家，包括龙王的女婿九头虫，交往密切。就综合实力而言，牛魔王堪称西游富妖怪里的榜首哩。🐚

（图／罗再武）

收入越高的人越爱读书

□青树明子

据日本著名经济类杂志 *PRESIDENT*（《总裁》）实施的调查显示，人们收入越高，读书时间越长。以年收入 500 万 ~ 900 万日元的人为例，读书时间每天仅为 5 ~ 30 分钟，但年收入 1500 万日元以上的人则每天将 30 分钟以上的时间用于读书。同样，无论是每月的读书量、买书的花费，还是走进书店的次数，都与年收入成正比。根据这项调查，年收入越低的人，越会回答"没时间读书"。

另一项调查显示，20 ~ 30 多岁的商务人士的读书量平均为每月 0.26 本，但是，年收入 3000 万日元的 30 多岁的人平均每月阅读量多达 9.88 本。可见差距明显。这个结果令人吃惊，但试着想一想，确实越是忙碌的实业家，越是经常读书。越是应该极为繁忙的世界顶级经营者，越会每月阅读数本乃至数十本书籍。

例如，微软创始人比尔·盖茨和世界三大投资家之一的沃伦·巴菲特等名人，据说每天都读书 30 分钟以上。以比尔·盖茨为例，阅读习惯在儿童时代就已养成。父母亲为了培养爱看书的孩子，将书籍放在身旁，以便随时都能拿到书。据说在儿童时代，比尔·盖茨热衷于阅读埃德加·赖斯·巴勒斯（Edgar Rice Burroughs）的小说，以及拿破仑等伟大人物的传记，学习成绩也很优秀。

即使是在今天，他每天也平均读书 1 小时，周末阅读时间更长。

日本迅销董事长、优衣库创始人柳井正也热爱读书。据各种信息显示，柳井正大量阅读彼得·德鲁克（Peter F. Drucker）、哈罗德·杰宁（Harold Geneen）、松下幸之助、本田宗一郎和雷·克洛克（Ray Kroc）等知名经营者的商业书籍，不断磨炼决断能力。早上 6 点半到达公司，16 点结束工作，然后直接回家。回家后便把时间用于读书。

一个人的经验和知识是有限的。但通过读书，能够分享很多人的经验和知识。此外，在成长过程中，最不可缺少的是想象力。通往成功的爱好培养、对于他人的体谅，根本都在于想象力的有无。通过阅读小说、散文和专栏文章，能明显培养想象力。读书简直就是使人生变得丰富的最为简单易行的手段。

反过来看，要问我自己是什么情况，回答是最近读书量正在减少。以前，拿着没读完的推理小说上床的时候，简直就是最幸福的时间。但如今，在床上看中国电视剧成为我最大的乐趣。

最近爱看的是《琅琊榜》，以我的中文能力，看三遍之后才能终于看懂。我非常喜欢的镜头是，飞流在正在看书的梅长苏身旁玩耍。梅长苏本应该非常忙，却不知为何总是在看书。这种样子非常迷人。

这种时候我会想，我也要学习梅长苏，再次拿起书本。🎙

胃囊

□尤 今

曾经被胃痛折磨得死去活来，罪魁祸首是食不定时，加上食欲常常受情绪影响，紧张时、生气时、郁闷时，都不吃——不能吃、不想吃、不愿吃。然而，碰上得意时、顺心时、兴奋时，却又大吃特吃，吃得上气不接下气。

原本健康的胃囊，受不了我的"任意妄为"，以多种方式发出了无声的抗议。

起初，抗议的方式是挺温和的。胃好像灌了铅，沉甸甸的、胀鼓鼓的，即使一整天不进食，也依然没有饥饿的感觉；最糟的是，山珍海味摆在面前，也不想动筷。

接着，痛来了。

我似乎听到胃酸残酷地腐蚀胃壁的声音，勉强进食，就好像在伤口上撒盐，微痛变成剧痛，最后，整个胃囊皱缩成一小团，痛楚是针、是箭，针箭齐发，穿越胃壁，在体内乱窜。

这时，你坐也不是，走也不行，躺更不能，痛得眼前金星乱冒、不辨东南西北。

终于，进了医院。

医生将一条连接着柔软管子的内窥镜，通过喉咙，伸进去胃部检查。

医生嘱我努力"吞咽"那条长长的管子，然而，吞着时，胃里翻江倒海，老想呕吐。

医生刻意以幽默化解我的痛苦："你不要正经八百地把它看作是医疗管子嘛，发挥一点儿想象力，把它当成美味的面条；面条上面，要放鸡丝或鸭丝，随你喜欢。"

我从善如流，闭上眼睛，让想象力长出翅膀。但是，这面条，实在是太粗、太长、太难吃了，一寸一寸地吞，经历了一番又一番痛苦的挣扎，才勉强把它"吞"进了胃囊里。

当不识趣的管子在胃里恣意"游行"时，我整个人都因不适而瑟瑟地发抖。折腾了一段不算短的时间，方才摆脱了这个噩梦般的痛苦。

痊愈后出院，闻到食物的香气，我才又寻回了人生的乐趣。老实说吧，就算这时桌上只有简简单单的一碗白米饭，我也照样吃得津津有味。

可别小觑这看似微不足道的胃囊啊，当它"鞠躬尽瘁"地为你服务时，你千万不要把它当成身体里的"垃圾桶"。它需要你的呵护与保护，倘若你轻视它、蹂躏它，它一旦造反，便会让你"吃不了兜着走"。那时，悔之已晚。友情、爱情、夫妻情、师生情，莫不如是。🌸

（图／张翀）

爱情的马太效应

□西门媚

马太效应是个很残酷的效应。经济学家认为，由于累积和机会，有钱的会更有钱，穷的会更穷，这个效应就叫马太效应。

我的一个女友，前阵子跟男朋友闹翻了，情绪大恶，下楼梯居然摔断了腿，住到医院，情绪更加恶劣。住院期间闲着无事，便打电话给老朋友们。结果以前几任男朋友纷纷赶到医院，对她怜爱有加。她却更加伤心，她最希望来的人是她刚闹翻的男友。

她跟我抱怨此事，我安慰她说，爱情这东西，有时会有莫名其妙的规律，十分"嫌贫爱富"，你越拥有爱，就会有越多的爱，而感情贫瘠的人，则会越得不到。就像经济规律中的马太效应。说到爱情中的马太效应，也是我随口说出才想到的。但我马上就能找出无数的佐证。谁都知道有的人是花花公子，但花花公子偏偏就是能不断地更新女友。

我劝解这位女友说，不妨放松心态，你以前的男朋友们对你好，你就接受好了，你就当是在体验这个世界微妙的差异。托马斯认为，这个世界的差异是存在于平时看不见的地方，在于异性内心或者习惯最隐秘的一些不同，因为那只属于个体。

这个托马斯是昆德拉笔下的花花公子，但另一面，他是个对自己绝对坚持和忠诚的人，也是我这位女友最喜欢的人物。这么一讲，她顿时听了进去。

在接下来的日子里，她善待来看望她的每个朋友，她的那些前男友常捧了鲜花来看望她，对她好，给她讲故事，哄她开心。她心情真的好起来了。她想起以前和这些男友分了手，几年都不复见面，眼下，他们一个个都能抽出时间来陪伴她，她对他们生出感激之情。

当然，这情感只限于感激，既然当年分手，自有充分的理由。

但这已经足够，他们来看她，向她讲述自己的心事，也是消除烦恼的方法。渐渐地，整个病房里竟洋溢着一种狂欢的气氛。

在意料之中，她那闹翻的男友也加入了这狂欢的行列，大约他发现她不再紧逼他，她脸上又洋溢出刚恋爱时的神情。

结尾是在意料之外的，她出院时并未和男朋友复合，而是一个帅气的男医生帮她办理出院手续，送她回家。

跟经济学的马太效应不同的是，爱情中的马太效应并不是简单地拿情感做成本，越滚越多，而是如果处于情感的包围中，心态就会很好，人放松，对快乐敏感，对伤害迟钝，再加上激素作用，让人容光焕发，这些都对异性更具有吸引力。

当然，异性的微妙的竞争心理，也促进了爱情的马太效应。所以如果没有被爱包围，至少要模拟被包围的那种状态，把心态放松，随时处于接收的状态，爱情就比较容易到来。

（图/木木）

夏天傍晚的风可以救人

□一碗不辣的面

古龙写过一个走南闯北的江湖客，在杀人的夜看天上满天星斗，想起了小时候看星星的往事，那时的夜晚跟现在也并没有什么不同，这是作家立人物的狡猾，人是传奇般的人，心却是平平常常的心，看客就心有戚戚，顿时有共鸣，即使这个人是个杀人不眨眼的魔头，你也不怎么讨厌他。这种触景生情的心境在乱七八糟心理学里还有个名堂，叫作心锚，类似于条件反射，一般被用来泡妞撩汉操控人心。大作家自然是操控人心的高手，这平常的夜色，不仅是故事里人的心锚，也是故事外人的心锚。

我最喜欢夏天了，夏天傍晚的风是我心里一只重锚，小时候在夏天的晚风里我很快乐，跟爸爸妈妈走，跟外婆外公走，走去玩儿，走回家，觉得自由自在，无论去哪里做什么都会很快乐。长大后非要一个人走，能让人消沉丧气恼怒，甚至恶从心头起的时刻实在太多了，但有时候我走在路上，有晚风从树叶间吹过来，这些时刻就离我很远了，好像从噩梦里醒来，梦里得失也没什么大不了的，我还可以去任何地方，做任何事情，或者不去任何地方，不做任何事情，也一样会快乐。

我知道琐碎的日常有时候也可以凶险万分，凡人之心嘛，贪嗔痴慢疑，怨恨恼怒烦，样样似牢笼，上心头，这是平常日子里的杀人夜。现在很流行提倡做自己，好像这是句百毒不侵的符咒。真是痴人妄语，我常常想，要是能不做自己，岂不是天下大幸，有部动画片叫《玛丽和马克思》，老头子马克思说我年轻的时候想成为任何人，除了自己，简直洞察人心，比之"做自己"的鸡汤，这是大温柔。人啊人，你要是诚实一点点，就会发现，"自己"实在是没什么可做的，仅仅是能不避不让地直视自己，就是大智大勇了。

但人啊，是不能不做自己的，是没得选的，是绕来绕去也要回来的。你看这个江湖客，他的心不在杀人的夜，而是在小时候看星星的夜啊。村上春树说"只要能发自内心地爱着一个人，人生就会有救"，这也是一个满天星斗的夜，一阵从树叶间吹来的晚风。这是一个勇敢的人，软弱的人想要人爱他，人救他，勇敢的人自救，有余力的人伸手救人。

我忘记这个江湖客那夜在想什么了，会不会看看星星变得更加勇敢。我偏偏在晚风里觉得自己就是大智大勇的，走到哪儿都不怕，永远有余力，你若是被我所爱，你就会永远被爱，最好你不需要，你吹吹晚风，勇敢又坦荡。

（图/张艺馨）

骆驼与奶牛

□尤 今

丁格尔是摩洛哥中部一个风俗奇特的山城。迄今为止，它还保留着许多古老的风俗。

在一个微风轻拂的早晨，我来到一个宽敞的广场，一位摩洛哥人告诉我：

"这里，是新娘市场。每年九月份的第二个星期，要娶亲的男人，便会带着骆驼，到这里来选新娘；而那些有意出嫁的黄花闺女、想要再嫁的离婚妇人和寡妇，也都会在家人的陪同下，到广场来露脸。男人选中符合心意的女子，便当面与她的亲人议价。最便宜的，可用一头骆驼来换娶；其他的，视条件的优劣而决定骆驼数目的多寡。"

此刻，站在这个空荡荡的广场上，昔日曾经听过的一则故事，突然清清楚楚地浮上了脑际。

一名海员罗拔航行到太平洋的吉尼瓦塔岛去，听到当地人沸沸扬扬地议论当地一名富商的婚事；在谈论时，人人脸上都露着揶揄的笑容。原来这位名字唤作约翰尼的富商，上个月刚刚以八头奶牛换娶了一位资质中下的妻子莎丽塔。当地人是这样形容莎丽塔的："她相貌平平，骨瘦如柴，弱不禁风，走路时弯着腰，从不抬头，她甚至害怕见到自己的影子。"以当地的标准来说，只要付出四头奶牛，便可以换娶一位上上姿色的女子，莎丽塔呢，连一头奶牛也值不了。约翰尼这宗被视为"亏本生意"的婚姻，因而成了当地人的笑柄。

罗拔在好奇心的驱使下，登门造访这位被众人视为"傻子"的富商约翰尼。两人正交谈时，约翰尼以八头奶牛换娶的妻子出现了，她身材高挑，娉娉婷婷，婀娜有致；又亮又活的眸子盛满了妩媚的笑意，气质迷人。这个女子，和众人口中的莎丽塔，有天壤之别。

当惊诧的海员把心中的感觉坦白说出来以后，约翰尼微笑说：

"没错，在结婚以前，众人觉得莎丽塔至多只值两头奶牛，莎丽塔也因此觉得自己比别人矮了一大截。可莎丽塔是我青梅竹马的友伴，我16岁离开家乡外出挣钱时，我俩已经有了婚约。如今返回故里，我要履行娶她的诺言。我刻意用八头奶牛来帮助她重新认识自己。现在，她相信，她比这岛上的任何一个女人更有价值。在我眼中，她是个最美的女子。"

罗拔若有所悟地说："她的确是我所见过的最美的女人。"故事有着很深的含义。

伴侣、父母、上司、老师，都该细细咀嚼。🌰

(图/张艺馨)

无条件的爱

□毛 利

　　到底狗重要还是我重要？小明的女朋友冲着他吼出这么一句。那一刻，他心里的答案是前者。

　　小明养狗比交女朋友早，狗是他上一次失恋后，从同事家抱回来的情感慰藉品。被女人狠狠甩掉的他，一边抚摸着小狗，一边跟我说，他需要一个爱的输出对象。而且爱狗比较安全，起码认定你是主人后，不会因为照顾不好它，就狠狠上来抽你一耳光。

　　狗是只串了不知道几个品种的小土狗，苗壮，性格相当奔放，吃什么都欢，简直像喝西北风都能胖起来似的，5个月已经长到30斤。跟别的爱狗人士不同，小明采取的是散养方式，懒得遛狗，就把狗放出门，让它自己在小区狂奔。跟我吃饭，打包剩饭时，眼睁睁看着他把辣子鸡都放进去，开开心心说，带回家给狗吃。连我这种不养狗的人都懂，狗不能吃盐，不然会掉毛，小明大大咧咧地说："哎，没事，这狗怎么养都行。"

　　的确，即便碰到这么不上心的主人，小明家的狗一看到他回来，立刻激动得好像上前线打仗两年的恋人刚回来，冲上去一顿扑，爱得热火朝天。即便他不小心把它关在门外一晚上，即便他出差时就送它进宠物店半个月，即便它不听话时他还抽过它两个耳光，这狗依然用最热烈的感情爱着他。

　　那句话说得对，狗狗的爱，是无条件的。所以那么多人养狗，只为收获这种无条件的爱。狗的忠诚度简直令人发指。

　　而小明女朋友的问题，跟所有女人一样，即便你把一切都掏给她，她永远认为你爱她爱得不够。女人被太多的浪漫爱情电影和小说，填了太多的台词和脚本。一个平凡的世俗男人，怎么能满足一个追求爱情的女人呢？没有哪个女人不希望男友能来点儿不爱江山爱美人的戏码，最好你能抛家舍业为了她一无所有，爱过了劲再骂你这样的窝囊废怎么不去死呢！

　　我记得看过一个女作者写的一篇名叫《爱犬玫瑰》的文章，有人问这个女人，你养这只狗，是不是就像养一个婴儿一样？女人断然否认，怎么可能一样，婴儿需要女人全身心地付出，而她的爱犬可以真正做到招之即来，挥之即去。最后女人得出一个结论：我想学会这样去爱人，带着自豪和热情，对他的过失完全健忘，简而言之，爱别人，像我的狗爱我一样。

　　这主意听起来很棒，但我不知道在这个空旷又拥挤的星球上，到底有多少人能这样不求回报地爱人，只知道有许许多多的人，在爱过很多人后，专心地养起了一条狗。🐾

（图/鹿川）

都是买卖人

□马未都

过去，我经常在老古玩店一待就是一天，在那儿跟人聊天，学本事。有的售货员，他跟你聊天，聊着聊着突然就蹿起来了，赶紧过去招呼客人，一会儿那买卖成了，他回来挺高兴，接着跟你聊天。有时候他跟你聊天，有客人进来了，他抬头瞥人一眼之后，根本不理睬对方。

我就纳闷了，说："你为什么对人还分三六九等？"他说："这人不买东西。"我说："你怎么知道？"他说："这人是来闲逛的。你看他那皮鞋。"我说："看皮鞋干吗？"他说："皮鞋是名牌，说明那人有钱又有闲。"所以他就注意观察细节，看皮鞋基本就能把这人摸清。

经商是件很有意思的事，你可以观察人生百态。人动钱的时候特别能显示本性，比如有些人大方，一出手就要摆阔，说："得了，别找钱了。"这是买主。而有些人天生就会卖东西。

售货员有自己的一套识人方法。最早，我们商店的墙上挂有非常漂亮的艺术品。比如有一种裙子叫马面裙，裙子前后各有一片带绣工的布料，拿剪刀把绣片铰下来，绷上，装到镜框里面，什么颜色都有。进来一个女子，看了一会儿，有十来分钟。有一位销售员走过去了，我在旁边看着，想看看她怎么说话。

她说的第一句话就把客人搞定了。她慢腾腾地走到客人面前，说："拿不定主意了吧？"你看这话有多狠！什么叫拿不定主意了吧？她认定你要买这个东西，你只是在犹豫。她站在你的角度替你着想，你拿不定主意，但是非常喜欢，想买，然后她来帮你拿主意。客人就说："对对对，我拿不定主意。"

你们想想第二句应该说什么？人家第二句这么说："你们家的墙是什么色的？"客人就愣在那儿了，想了想说："我们家的墙是粉色的。"她说："好。你看这件东西的底色也是粉色，跟你们家的墙很搭。"于是客人高高兴兴地把东西买走了。

我也见过不会卖东西的售货员，他上去就说："您想要哪个？"客人马上就警觉了——你是打算强迫我买吗？这时候客人一定会说："我再看看，你别打搅我。"

你知道，卖东西不能站在客人的正面，更不能站在客人的背面。我说站在他的正面、背面和侧面，是指思想上。你如果站在他的正面，你跟他是一个对等的关系；你站在他后面，他立刻就心里不安，想你是不是想宰我；你站在他侧面，他会非常舒服。

无论你的商品有多贵，无论你的地位有多高，你一定要比客人矮半个头。记住了，矮半个头，不能矮一个头，矮一个头是卖不出去东西的。一定要适度地比客人矮半个头，让客人感受到自己是有地位的。◎

（图/张翀）

不响

□ 王 勉

"不响"是苏浙沪一带的地方语，意为不吭声、沉默无语。"不声不响"也是那里人们的常用语，具有强烈地方色彩。

在"不响"的组合中，流行于民间的"不响最凶"这句话，最为耳熟能详。此中的"凶"字，不是凶恶，也不是凶险，而是指厉害，不是一般的厉害。有时是褒义，有时是贬义，看在怎样的语境中，用在什么地方。一个人如果整天咋咋呼呼，口若悬河，滔滔不绝，声音很响，人们可能对他不以为然，甚至不当回事，因为人们知道，这种人肚子里藏不住东西，什么都在哇啦哇啦中倒出来了。这样的人，要么无脑子，要么很肤浅。要好也好不出色，要坏亦坏不到哪里去。倒是那些不响的人，不露声色，你不知他在想什么，不知葫芦里卖的什么药。这样的人，不可小觑。这样的人，表面上看不出什么，但在肚子里做功夫，有心计，有城府，犹如深水潭，面上水波不惊，可下面，深不可测。这样的人，无疑都不是等闲之辈，也不是寻常人物。所以，遭遇闷声不响的人，不可轻举妄动，最好也先不响。静观其变，再做选择。

叫个不停的猫，老鼠从来不怕，老鼠知道它在哪里。一声不响冷不丁蹿出的猫，老鼠怕得要命。这就是会捉老鼠的猫不叫的厉害。

不响有时是人的性格，但更多的是人生的一种态度。不响并非软弱，更不是无能，而是一种生存的智慧和抉择。

《西游记》中，漫漫西行取经路，话最少的，是那个沙和尚。他知道，降妖伏魔呼风唤雨有大师兄孙悟空，探路寻食问长问短有猪八戒，而他只要挑着担子护着唐僧默默前行。而就是这个一声不响的沙和尚，在每个关键时刻，唐僧都离不开他，他都能发挥稳定军心的作用。《三国演义》里的徐庶，辅佐刘备连败气势正盛的曹军。曹操不解，觉得刘备并无此本事。派人打听，才知有高人在帮刘备出谋划策，此人即徐庶。曹操顿生仰慕之心，派人招揽。徐庶不理，曹操设计把徐庶老母骗到许昌，好生伺候。徐庶明知曹操阴毒，无奈孝心至上，只能来到曹营。曹操大喜，以为计谋得逞。而徐母见儿子上当前来，愤而自尽。徐庶悲极，自此在曹营不出一声。曹操待徐庶优厚有加，并花言巧语虚心讨教破敌之计，徐庶不为所动。一直到离开曹营，徐庶始终不响，未曾向曹操出过半点儿计谋。后人把此事提炼成一句家喻户晓的歇后语：徐庶进曹营——一言不发。

徐庶的不响，是一种本事。有时，人在开口说话时，感到内心很空虚；而当人在不响时，心中却觉得很充实。

只要不是那种傻不溜秋的不响，不响就是高深，就是神秘，就是玄机。有时，会产生令人意想不到的效果。🍃

（图/罗再武）

草木情事

□葛亚夫

到园里挖菜。蒜苗、菠菜和芫荽，纠缠在一起，难分彼此；萝卜和白菜，倚在垄沟上，相敬如宾；豌豆和小麦，隔垄相望，咫尺千里。没想到，一方小园子也是一处小天地！挖菠菜，蒜苗和芫荽也茎拉叶拽，不肯撒手。一用力，三败俱伤，像极了影视里的催泪桥段，只是它们不言。谁说草木无情？

白居易写过情事大篇，像《李夫人》。"人非木石皆有情，不如不遇倾城色。"这是香消玉殒后的怨言，反着理解才是真意。否则，汉武帝也不会大费周折，又是"怀梦草"，又是"招魂石"。然而，就像金屋藏娇终敌不过木石之盟，木石之盟也终敌不过金玉良缘。

所以，白居易在《长恨歌》里慨叹："在天愿作比翼鸟，在地愿为连理枝。天长地久有时尽，此恨绵绵无绝期。"人间的情事，要用草木做念想和寄托，是否说明，草木比人还要真挚和执着呢？这点，白乐天都参不透，只闪烁其词地说："人皆有所好，物各求其偶。"那么，园子的这些菜蔬，如何各求其偶呢？它们的情事，又是怎样呢？

清人张翰，是个有草木情调的人。对草木的情事，他认为"物各有偶，拟必于伦"。忘年恋尚可，但不能穿越！就是忘年恋，也不能忘本。他还自作主张，点起鸳鸯谱："梅娶梨花，海棠嫁给杏，佛手娶香橼，荔枝嫁樱桃，雁来红嫁秋海棠……"

梅清高，梨花华贵，相辅相成；海棠妖冶，杏清秀，相生相克；佛手才俊，香橼锦绣，相得益彰；荔枝慧中，樱桃春风，相与有成；雁来红玲珑心，秋海棠少年狂，相恃为命。翻译到人间，是：林徽因嫁与梁思成，徐志摩迎娶陆小曼，刘彻立后卫子夫，诸葛亮拜妻黄月英，苏东坡纳妾王朝云。无论开始、过程和结局，都是有心跳的，有心跳的都是逦迤情事。

以此看，蒜苗和菠菜、芫荽是一场三角恋，萝卜和白菜是一场烟火恋，豌豆和小麦是一场倾世恋。"世间事，除了生死，哪一件事不是闲事？"情事却让草木出生入死，闲不住。

菠菜熟食，芫荽生食。蒜苗熟可婚菠菜，生可配芫荽，也酿就了虐心的三足之势。但这只是年少懵懂、情窦初开。无论爱得怎样死去活来，菠菜和芫荽都会陆续离去，蒜苗终要独自成长。这多像徐志摩和张幼仪、林徽因。爱情里没有过错，有也只有错过。

萝卜白菜的情事，烟火处触目可及。煎、炒、烹、炖等，萝卜白菜均适宜，皆可携手赴汤蹈火。得到的更要珍惜！不然，看看豌豆和小麦的倾世之恋，简直生不如死。

"食色，性也。"人食草木，人的情事，何尝不是涌动在血脉里的草木情事呢？ 🌰

（图/熊LALA）

隔壁老梁

□ zhanydepp

老梁是个做了30年餐饮的老男人，也是我们那个城市最早来美国打拼的移一代。

靠着当初在西安回民街的手艺，加上兢兢业业的上进心，隔壁老梁成功地把妻女接来了美国。虽然一家人在异国他乡团聚，但是老梁心中有一个大的遗憾，就是他缺席了女儿人生最重要的14年。女儿第一次换牙，第一次骑自行车，第一次背起书包上学……还有许多数不清的第一次，他都不在。

一次酒后，老梁涨红着脸，拍着桌子狠狠地说："如果再给我一次机会，打死都不来美国。我这辈子最遗憾的事情就是没参加过一次女儿的家长会，哪怕一次也好。"说完，这个40多岁的男人哭得像个孩子。

这个老梁，是我爸。

我爸这辈子最大的爱好，就是做饭给我吃。做了30年厨子，每天上班就是跟锅碗瓢盆打交道，然后下班回家，他还是那个冲着抢着要做饭的人。有时候我无心说出的想吃的东西，第二天准能出现在家里的饭桌上。我想，这也许是他想要弥补那些未曾出现在我生命里的日子里的亏欠。

我曾经恨过他，恨他为何如此狠心，可以就这么一走了之，不管不顾。那些被小伙伴们嘲笑没有父亲的日子里，我都发誓再也不叫他一声爸爸。

但当我来到美国，他挽起袖管给我做第一餐饭的时候，我看到了他那双臂上密密麻麻布满了被油烫伤的小疤。那一刻，我更恨那个曾经恨过他的自己。

都说爸爸是女儿的守护神，不管女儿在外受到多大的伤害，任何一个爸爸都能在女儿最需要的时候挺身而出。这不是深思熟虑，而是来自一个父亲与生俱来的超能力。

肉夹馍大概是我对父亲唯一的童年记忆。那时候的我，拿着5毛钱，跟在我爸后面去老孙家买肉夹馍，买完之后便不肯再走，非要他抱着回家。后来我渐渐长大，便再也不乐意缠着他，趴在他宽厚的肩膀上了。他也渐渐变老，也没有那么多的力气扛起我飞奔了。

当他得知我想开一家属于自己的茶室的时候，又毅然决然地放弃了自己经营7年运营良好的餐厅，过来帮我。后来我妈偷偷告诉我，他担心我的胃病，怕我忙的时候顾不上吃饭。

于是他带着他一身的厨艺，在我的隔壁，卖起了肉夹馍、热干面和大盘鸡。

在我心里，隔壁老梁是这个世界上最好的厨子，也是我心中最好的父亲。

（图/关节熊）

真正地负责任

□严　阳

苏州阊门有个开店的，家里养着一条猛犬，白天躺在门槛边一刻也不肯离开。有个商人进门，不知道这猛犬动辄喜欢咬人而稍稍接近了它，结果大腿被咬出了血。主人赶紧跟商人打招呼："你姑且息怒，明天我打算杀了它跟你一起吃它的肉。"商人回去后晚上做了一个奇怪的梦，梦中像有人告诉他说："我是主人家的父亲，已经死了好几年了。有数百两银子埋在门槛下面，我活着的时候没有来得及告诉我儿子。我念念不忘，所以变成了一条狗守着它，希望能够传给儿子，没想到冒犯了你。我想把这些告诉我儿子，但恐怕他不会相信，所以告诉你，希望你能去见他，让他不要杀我。"商人惊起，赶紧去那个人家，可惜的是主人已经将狗杀了。挪开门槛，果然发现下面有一只瓦钵，里面装着四百多两银子。

这是明人陆粲在《庚巳集》里讲述的一个颇具传奇色彩的故事。对于其真实性我们当然无须进行分析，因为其情节并不复杂，一眼就能看出是"纪实"还是"虚构"。但是我以为这其中蕴含的意义却又是十分深刻的，值得我们思考的，这就是对于中国做父母的来说，对于子女的未来往往太过操心了，大多希望把他们的一切尽可能在生前就安排好，否则便死不瞑目。

而这位开店的商人已经亡故的父亲不就是这样的人吗？这让人不禁想起了一句俗语："可怜天下父母心！"

作为父母，对于子女要有高度的责任心，做负责任的父母。但是，怎样做才算负责任是有不同理解的。一些做父母的以为，给孩子找一个好工作，嫁一个好人家或者娶一个好媳妇，给他们留下尽可能多的财产，让他们在自己身后的几十年中依然能够享受生活、惬意生活这就是负责任；但在我看来，还有别样的负责任的方式，那就是教育孩子正派做人，教会他们处理事情的正确的方式方法，努力让他们学会生存的基本技能，即便是自己离开后，他们也能创造出属于自己的空间和财富、属于自己的幸福生活，这才是真正的负责任、更好的负责任。这两者的区别在哪里？前者着眼于自己的儿女看得见的有限的一段时间里的生活，而后者则基于对世界、对未来的深刻认识和充分的理性，着眼于儿女长远的利益。两相比较，哪种做法更聪明我以为是不言而喻的。

那位变成猛犬守护着门槛下的四百多两银子的父亲，属于哪一类父母呢？值得欣赏与效仿吗？我们自己又打算做什么样的父母？🌰

（图／朱少伟）

身心密码

□王国华

在一次座谈会上，听心理学家金天博士说了句话：人的每一个情绪都会体现在身体上，比如有些人一生气就浑身发抖。

的确，这样的例子数不胜数。我以前有个同事，生起气来就嘴唇发紫，直打哆嗦，有几次看到他跟人吵架，表情很吓人，不禁为他担心。气不是一种物质，肉眼看不到。打他一拳头，可以把他打得鼻青脸肿，而"气"是几句话就能让活人变成死人。两人正吵着呢，其中一个咣当倒在地上，气绝身亡。用医学术语说是心脏病突发，但有人并无心脏病，也会被气死。

心理上的每个不适都会体现在身体上，身体与心灵之间是有密码的。我们最常见的是牙疼，牙疼就治牙疼病吧，用不着吃两片清火的药就好了。哪里上火？当然是心里上火，心里一急，牙就疼了。就是这么个因果关系。

都说变色龙怪异，其实人的皮肤跟变色龙差不多，只是没那么明显。情绪影响脸色，这种东西造不了假。当然也有人无论发生什么事都能面不改色心不跳，说明他自制力强。但这样的人估计活不长。强力控制情绪，像操作机器一样把自然的状态迅速调整到不自然状态，时间长了，还能有好？

人平静的时候，身体特别放松、舒适，一有变故，你想控制都控制不了。十多年前，我和怀孕的妻子乘坐公交车，售票员嫌我们动作慢，用力把我们推下车，我一怒之下报了警，在派出所说明情况时，精神高度紧张，一出门就呕吐不止。还有一次，跟朋友出远门，朋友的妻子因为就要见到多年未见的亲戚，心情激动，在火车站候车时一遍遍去厕所。

还有一位朋友，原来工作的地方离家近，每天步行上班，前几天换了公司，需要开车上班，结果一上车就尿急。他自己分析，两腿已经习惯了走路的姿势，每天开车却得窝着腿，姿势的变化带来了生理的变化。我却想，这也许是生活节奏骤变对身体产生的影响。节奏一变，身体就要重新调试，通过"不适"来反抗一阵，时间长了，身体发现反抗无效，便会努力适应新的节奏。尿急这事，不会永远持续下去。

那毕竟是我们自己的身体，它要与我们的心灵保持一致。越是这样，我们越应该好好珍惜身体。它易受外力伤害，还要受心理变化、生活变化的影响，一步一个坎，直到与我们的灵魂一起衰竭……

（图/曹黑黑）

财富如何传承

□浦 顿

有朋友到英国游玩，看到像电视剧《唐顿庄园》中那样美丽气派的庄园，在英格兰有很多，往往有几百年的历史。他问了一个问题：中国传统社会那么发达，为什么中国家族留下的像样的财产不多呢？

我曾看过苏州的园林，比如拙政园，规模也很大。但是梳理拙政园的历史，你会发现现在的拙政园基本上是1951年重修的。拙政园最初是16世纪初官场失意的御史王献臣所建，王死后，他的儿子因赌博将园林输给了徐家，拙政园从此开始了流浪，它几次被官方没收侵占，也遭到多次破坏，以至于后来的拙政园与当初的王家，没有任何关系。

传统中国家族似乎并不在意这种宅院的传承，近年来随着旅游事业的发展，各地的"故居"大为增加，但是仔细观察，你会发现很多都是今人重修的。很多人对这种人造古迹很不满，但是我认为这是一个好的开始：我们终于开始重视财富的传承了。

中国有漫长的农业社会，这种社会的生产组织，始终是以家庭而不是个人为单位组织的。家庭越大，在竞争中的优势也越多。等到子女们长大，家里积攒的财富往往要进行一次分家。惯例是，女儿由于出嫁没有任何继承权，财产在儿子们中间进行分配。核心原则是做到公平，即每个人要分一样多。

这种处理财产的原则，很不利于财富的增长。成功的大家庭，总是尽量延缓分家，往往修筑大规模的院落，儿子们在"老爷"的统领下，尽量和谐相处。但是，这一分裂的时刻最终还是会来临，如果"老爷"不能在生前对财产做出合理分配，在他死后，儿子们往往会为财产争得头破血流。

相比之下，英国作为世界上最早进入"现代"的国家，有着悠久的财产继承的传统。一个男人的财富，按照法律，三分之一属于他的妻子，剩下的他完全可以自主决定。他可以对几个子女进行平均分配，但是更多的情况是，他会选择一个最能干的儿子，把家产全部传给他，这样财富就会发扬光大。如果他不喜欢自己的儿子，他可以立下遗嘱，把财富赠予任何一个他喜欢的人。我们在英国的影视作品中，经常会看到这样的情节：某个主人公，突然接到通知，继承了并不太熟的亲友的财产，一夜暴富，年纪轻轻就拥有了可以实现自己梦想的第一桶金。

这种方式，如今已经演变为全球公认的继承原则。尽管各国法律有区别，但是核心原则是一致的：一个人在他活着的时候，对自己所挣得的财富，有完整的处理权。

（图/朱少伟）

永远的小女孩

□莫小米

他俩是同乡，相差 10 岁。

他 7 岁丧母，父兄忙于生计，没人管他，不久他就开始"混社会"，18 岁时因盗窃罪被判了 4 年，出狱后继续流浪瞎混。

她为了给弟弟挣学费，小小年纪辍学，在昆明一家小餐馆打杂。遇见他时，她才 13 岁。

他在小餐馆就餐，恰逢几个小流氓对女孩动手动脚，他毫不犹豫地"英雄救美"。女孩感激加崇拜，从此两人以兄妹相称。哥哥经常给妹妹买书、买小礼物，带她出去逛商场、吃夜宵。

其实，这个哥哥生计无着，背地里屡屡犯案，只是，每个人都有做个好人的愿望吧，尤其在一个单纯的小妹妹面前。

有一天他毅然离去，假说是工作调动，其实不久就入狱了，因寻衅滋事牵出持刀抢劫等旧案，被判无期徒刑。

这次入狱与上次不同，天不怕地不怕的男人，心里竟有了一丝牵挂。快过年的时候，小妹妹接到一个电话，听到久违的声音，她惊呼过后开心地笑，随着他直白的讲述，她又哭得很伤心。

让男人万万没想到的是，小妹妹奔波 1500 公里，来到他服刑的监狱，特意来对他说一句冒傻气的话："哥，你是我这辈子最崇拜的男人，无论你在里面待多久，我都等你；等你出来之后，我就嫁给你。"

她仍然选择一家小餐馆务工，同时做一件了不起的事情——等待。

男人当然也爱小妹妹，但任一个少女等待无期囚徒，也太不高尚了。百般劝说无效之后，他对自己施以自杀性摧残，并制造了一次故意越狱，两次故意致人轻伤，希望给自己加刑，最好定下"永不出狱"之罪，让女孩死了这条心。

可是这女子，一直等。直到男人觉得不能再混账下去了，积极改造争取减刑，终于在等待 26 年后，49 岁的男人走出大狱，扑通跪地，是求婚，还是忏悔？

现在他们生活堪称幸福，在村里的帮助下有了基本生活保障，男人有一份保洁工作，还参加了村里的治安巡逻队，及时平息了一起可能导致人命的纠纷。女人生下儿子后又怀上了二胎。他们幸福的根基在于，她是那个永远的小女孩，小女孩崇拜童话里的英雄。世事万变，这一点没变。🌰

（图/木木）

要不要吃自己的狗粮

□ Keso

英语世界有句俚语："Eating your own dog food."汉译为"吃你自己的狗粮"。后来这句话被IT（信息技术）行业采用，表示对使用自家产品的强调。

据说IT界最早使用这句俚语的，是微软高级主管保罗·马瑞兹，1988年他写过一封标题为"吃我们自己的狗粮"的邮件，建议局域网管理工具项目提高使用自家产品的比重。

如果你做了个产品，自己不用，却指望全世界人民都酷爱，这跟做梦有什么区别？前几天我见一位滴滴的副总裁，发现他自己开车。这也算是吃自己的狗粮，滴滴有乘客产品，也有司机产品，都需要员工去使用。

产品负责人和公司员工吃自己的狗粮，公司老大要不要吃？

乔布斯是一个对细节挑剔到能把人逼疯的人，他去世之前，苹果公司几乎所有重要的产品，都是他亲自参与甚至主导的。同时，他是这些重要产品的超级用户，对产品的细节和特性如数家珍。马化腾自称是腾讯头号产品经理，我多次见他在朋友圈晒他的游戏成绩，他的《节奏大师》，是我在朋友圈见过的分数最高的。

也有从来不用公司产品的老大，比如马云。马云解释他为什么不上淘宝、不用支付宝："原因也蛮简单，我每天很担心，如果我用了淘宝，就会认为淘宝很好；因为我不买，在听别人讲淘宝不好的时候就记住了，我就去找淘宝，找他们负责人。"

马云还进一步强化他的观点："我认为我的职责不是来检测工具，我的职责是永远带大家向着坚定方向……天天跟你们讲这个产品好、那个产品好的人，他不是CEO（首席执行官），他最多是个VP（副总裁）。"

当年有人问马云，都做电子商务，都在外面高谈阔论，为什么阿里巴巴做成了，而王峻涛的8848却做死了？马云回答："我在外面吹牛，有17个罗汉在家里干活。老榕（王峻涛）在外面吹牛，吹完了也就完了。"所以，马云从来都是一个画蓝图、夺眼球、鼓士气的人，他不需要吃自家的狗粮，有其他的罗汉在吃，就够了。

一般人能做到的，就是像马化腾那样，身体力行吃自己的狗粮。吃都不一定有戏，不吃肯定没戏。🎙

（图/朱少伟）

N35 便当

□小山薰堂

　　我永远都记得我的第一个顾问对象，那是一家位于 N35 附近的司亭便当店。

　　原本日本 7-11 便利店的总公司位于东京神谷町的办公区附近，后来总公司搬到曲町，一下子使司亭的客人锐减，营业额也降至谷底。

　　当我知道这件事时，虽然明知是多管闲事，但仍然任性地带着策划案去拜访司亭的老板。我想要传达两个想法：其一是司亭做的便当确实美味，希望他们能够继续经营下去；其二是要求对方制作我真正想吃的便当。我认为，这样的便当若能带给我快乐，想必也会带给其他人快乐吧。换句话说，我认为导入新菜单，可以增加来客量。

　　我设计的便当叫"N35 便当"。为了讨好男性顾客，里面放了荷包蛋、咖喱、可乐饼等，定价 880 日元，如果再买一杯 120 日元的茶，正好 1000 日元。

　　司亭的老板听后起先有点儿不安，问我："会不会太贵啊？这个便当是店里售价最高的。"但我自信满满地说："没问题，至少我公司的员工和我会买。"最终他接受了我的提案。开始推行之后，"N35 便当"便跃升至便当畅销排行榜第一名，后来司亭又陆续推出了第二款、第三款和第四款便当。

　　当然，我没向司亭收谢金，而是收获了一个"N35 便当"品牌。从那时起，我尝到了把自己策划的东西卖出去的喜悦。

　　从本质上说，策划就是服务，也就是思索如何让人开心、获得幸福。最重要的是，策划方案不是突如其来的灵光乍现或神来之笔，而是在日常生活中，以每天所见的、所接触的事物与现象为出发点。我一直以这样的创意方式来工作，换言之，平凡的一天只因视点的略微改变，就可以成为特别的纪念日。

　　当别人做时，你说："啊！我也有想到。"但因为你没做，所以想到和没想到是一样的。

（图／曹黑黑）

会涂口红的女人

□子 沫

某位聪慧的友人曾给我讲过两个细节，让人印象很深，值得记录：

会涂口红的女人。她认识一位电台的朋友，曾采访铁凝，注意到一个细节，铁凝涂口红前和涂口红后，判若两人，她这样总结：她是会涂口红的女人。这话我也深以为然，我见过铁凝的很多张照片，第一眼就注意到她的嘴巴，真是很奇怪的事，她很有画龙点睛的本领，精气神通过口红传递开来，非常之好。

大学刚毕业时，参加一次培训，在郊区，跟我住同一间房的一位女孩来自另一家单位，她也是会涂口红的女人，一涂上口红，立马精神四溢，整张脸瞬间亮起来了。她说，她不涂口红绝不出门，不然像是没睡醒的。果然如此，哪怕是晚饭后外出散步，她也会涂口红，她说，女人随时随地总要显得有精气神。有时候，只需一点点，一点点就好，脸上有一个亮点就够了。

这位聪慧的友人总在削减我的偏见。比如，对摄影师，以前我比较无感，总认为四处拍，都成套路了，有什么意思？但是她把自己观察到的情景讲给我听，她说了两点。

第一点，摄影师看人的角度很不一样，比如，一位摄影师评价她，不是漂亮、知性、文艺或别的大路化的词，而是说："你爱笑，说话之间的空白是用笑来连接，你的运气不会太差。"他们捕捉的是人的神态，越过表面。他们有看人独特的视角、美的角度。

第二点，摄影师有预见性，他们会等待故事发生，充满了好奇心。比如她曾经跟摄影师一起去一个市场拍片，很多摊点，摄影师独独选择了一个摊点，为什么？因为这个小小的摊点非常整洁清爽，安安静静，跟其他摊点的气场很不一样，他蹲在一旁半小时，好奇地看，果然，后来，拍到了一张非常好的照片，就是那张女主人弯腰给孩子系鞋带的照片，友人看过那张照片，说非常感人，普通却有尊严，不那么轻飘飘。摄影师说不要随便下结论，不要去评判什么，只是做一位旁观者，去等待。

摄影师通常会越过表面关注背后发生了什么，仔细想想，这些折射到生活中，也是一种智慧。 🍂

（图/木木）

老板选人，从来不先看能力

□王 石

半年前，我面试了两个人，A和B，都是女生。我大概花了10分钟时间思考，最后决定要A。

A原来在一家公司做会计，想换工作，对新媒体、互联网和移动互联网领域完全不懂，30多岁，已婚，育有一孩，不会开车。

B大学刚毕业，20岁出头，未婚，对新鲜事物看似很擅长，会开车。

我要A的原因很简单，虽然她年纪较大，已婚，且不擅长新兴行业，看起来有点儿弱势，但这恰恰是女性在职场中能长期稳定的一个重要因素，她会相对更有责任心。员工的责任心和稳定性对一个公司来说很重要，因为培养一个人实在不容易，之前招了一位90后女生，刚培养好，她就提出辞职，说要回老家结婚。

A还能做公司会计，这项绝对加分，不会开车，就让她学车，技能都可以学。新业务不熟，也可以学，能力可以慢慢培养。事实证明她是个聪明的人，两个月时间，新工作全部学会上手，效率比老员工还高，做的效果也很好。给她一个任务，不用领导操心工作进度，处理得妥妥当当。

我录用她还有一个很重要的因素，她有原则。这个因素在以后的工作中就很明显地体现出来。

有一次发工资时，多发了她一些，她马上留言说，是不是发错了，数额给多了。我说，就按这个数目来，多的是奖金。

有一次，我安排她协助朋友的一项工作，朋友非常客气地发了个红包给她，她被吓到了，把红包发回去，朋友没有接。

她对我说："红包还是先放你那里，然后你还给你朋友。"我说："没关系，红包你收着，就当作奖励，应该的。"她回了一句："很不好意思。"

虽然这些钱数目都不大，但能判断一个人的人品。

后来我慢慢将一些重要的事情交给她，她依旧能处理得很好。

能做大事的都是从解决小事开始，能力是在一件件小事上锻炼出来的，当你具备别人没有的能力时，岁月和伯乐都不会亏待你。

（图/小栗子）

一杯蜜是炼过几只蜂的

□林清玄

住处附近有一家卖野蜂蜜的小店，夏日里，我常常到那里饮蜜茶。我常觉得，在炎炎夏日喝一杯冰镇蜜茶，甘凉沁脾，是人生一乐。

今年我路过小店，冬蜜已经上市，喝了一杯蜜茶，付钱的时候才知道价格涨了一倍有余。

我说："怎么这样贵？比去年涨了一倍多。"

照顾店面的是个眉目清秀的小女孩，讲得一口流利的普通话，马上应答道："不贵，不贵，一杯蜜是炼过几只蜂的。"

这句话令我大感不解，惊问其故。

小女孩说："蜜蜂酿一滴蜜，要飞很远的地方，要探过很多花，有时候摘蜜，要飞遍一整座山头哩！还有，飞得那么远，说不定会迷路，说不定给小孩子捉了，说不定飞得疲倦累死了。"

听了这一番话，我欣然付钱，离开小店。走回家的路上，我一直想着那位可爱的小女孩说的话，任想象力奔飞。

也许真是这样的，一杯在我们手中看起来不怎么样的蜜茶，是许多蜜蜂历经千辛万苦才采集来的，我们一口饮进一杯蜜茶，正如饮下了几只蜜蜂的精魂。

蜜蜂是一种奇怪的动物，飞来飞去，历遍整座山头、整个草原，搜集花的精华，一丝一丝酝酿，很可能一只蜜蜂一生只能酿成一杯我们一口喝完的蜜茶。而在这个酿蜜的过程中，有多少蜜蜂要死去！未死的蜜蜂又要经过多少生命的熬炼，才能炼出一杯蜜茶啊！光是这样想，就够浪漫，够令人心动了。

在实际人生中也是如此。

生命的过程原是平淡无奇的，情感的追寻则是波涛万险的，如何在平淡无奇、波涛万险中酿出一滴滴的花蜜，这花蜜还能让人分享，还能流传，才算不枉此生。虽然炼蜜的过程一定是痛苦的，一定要飞过高山平野，要在好大的花中摘好少的蜜，或许会疲累，或许会死亡。

可是痛苦算什么呢？每一杯蜜都是炼过几只蜂的。

（图/曹黑黑）

缩龙成寸

□周 涛

虫子爬得很庄严，很有一点儿绅士风度，它似乎并不认为自己是这个世界上最渺小、最可怜、最让人轻视的生物，看样子它们并没有意识到这一点（它们缺乏起码的、应有的自我批判意识，它们自我感觉良好）。

特别是它们竟然丝毫未感觉到另一种伟大的存在正从 1.80 米的高空威严地俯瞰着它们，是好奇的关怀，也是可怕的威胁，它们丝毫没有感觉到，而且连看也没看一眼，自顾自地爬着。

虫子们顽强地在这个世界上爬着，从不气馁，从不灰心；与人共处，与人相争。它们短暂的生存有什么意义呢？何况它们大部分是丑陋的、蠕动的，于人无益让人恶心的，如能灭绝之，似乎对于这个世界也并不见得少了什么；特别是苍蝇、蚊子、蟑螂之类，灭绝之，世界会显得清爽许多。

可是请问谁又能灭绝它们呢？

造物主既然造了它们，就有它们生存的理由，也有它们爬动的位置和空间。可是，为什么庞大的、凶猛的、美丽的生物反而纷纷消失灭绝呢？

答曰："因为大。"

似乎有些道理，"眼光"忽然从对虫子的怜悯转而生发出对自身的怜悯，是啊，人类不也是"生年不满百，常怀千岁忧"的吗？人类之上，那双俯察芸芸众生的眼光又是谁的呢？在那双眼睛里，人不是同样像一些蠕动的、爬行的、蹦跳的虫吗？无穷层次的生物组成的链环环相套，一环扣一环，一物克一物，最后，最弱小的反而成了最强大的。恐龙只是体型大的虫子，老虎古人也称之为"大虫"，如此，把这些渺小的虫子放大再放大，说不定，你就又会看到再现的恐龙了。

"缩龙成寸"，斯言信矣。

"眼光"这时也不再自觉为俯察万类的、主宰万物的超生物者了，它降低下来，开始以平等的心去认识、观察它们，它甚至想知道它们在想什么……

在虫子的世界里同样可以遨游。

"虫子，爬吧"，他低下身来温柔地这样轻轻说着。

（图/曹黑黑）

哭了看不清

□ 自 然

做"大了"（dà liǎo，天津方言，指婚丧嫁娶仪式的组织者），我最怕的还是遇到孩子的白事。有的老人都80、90多岁，已经算是老喜丧，但是小孩子不是，他们还没有看懂这个世界就离开。太可惜。

一个三岁的小女孩患有白血病。她父母都是普普通通的工人。她妈妈还算坚强，拿出一件米黄色的小裙子，自己给孩子换上。小胳膊小腿，瘦瘦的。梳着两个小辫子，辫子上扎着红色的绸子。眉心间点了一个红色的小点，淡淡的红色口红，粉色的小嘴巴。小嘴紧紧地闭着。她妈妈说："孩子终于不再难受，不知道疼了。"

每次遇到这种情景，我都不知道该说什么好，也只有沉默。孩子是父母身上掉下来的肉，任何安慰的语言都显得多余。作为一个"大了"，我们只有多做少说。

这个孩子小名叫夏夏，她是夏天出生的。孩子的爷爷奶奶姥姥姥爷都还健在。四位老人坐在孩子身边，始终不肯离开，就是吃饭时，扶着他们走，老人也是坚持守着。奶奶说："还有两天，夏夏就真的离开我们了。最后这两天，让我们好好陪陪孩子。"

做一个合格的"大了"，还有一个地方是最能体现他工作能力和作用的，就是在遗体告别见最后一面的时候。看到这四位老人，我就开始担心那个最考验我的环节，我不建议老人去火葬场参加追悼会，不希望有老人因为过度伤心而有意外发生，虽然他们一再坚持、一再承诺。因为我知道不伤心不难过谁也无法保证做到。

我没有想到的是，老人们自己打车跟在灵车的后面，偷偷地到了追悼会现场，站在最后面。当我发现他们四位老人的时候，他们已经站在了孩子的面前。没有大哭大闹，戴着老花镜，贴着水晶棺材，像欣赏一件艺术品一样，静静地抹着眼泪。我让人上前搀扶，老人也平静地说："让我们再看一眼夏夏，我不哭，哭了看不清。夏夏生病的时候都不哭，我们也不哭。"

那个镜头很长时间都留在我记忆里，怎么都忘不掉。🍂

（图/小栗子）

鸡笼

□蔡 澜

"鸡笼"和鸡，一点儿关系也没有，这是马来语，叫筑在海中捕鱼的小屋。

以前在新加坡和马来西亚的沿海，人们可以看到一间间的"鸡笼"，可惜经日本渔船的拖网和雷达，再加上公海的污染，它们几乎已经灭迹。

"鸡笼"的基本原理是守株待兔。将数十米长的槟榔树干插入海床，一根根地排成两列，挂着渔网，呈 V 字形，尖端处建有一个六百平方米的小屋，屋中有一四方形大洞，洞里下着网，再点一盏强烈的灯，鱼群被引入，渔翁便得利了。

和几个友人抵达"鸡笼"，上面养了一只狗，看到我们船来了，吠也不吠。我们拿出花生和土炮，和渔夫们高谈阔论，见巨大的夕阳沉入海中。

渔夫说时间到了，走入小屋，屋的一角有一个生了锈的大鼎，直径六米，中间烧沸着海水。另一边有个巨轮，我们帮渔夫用力将渔网拉上，各式各样的鱼，在网中跳跃，煞是好看。

渔夫用一长棒伸入，棒的一头有个小网把鱼装满后掏上来往地板上一撒，鱼群离水后更是乱跳，我们狂喜围上，即刻帮着将鱼分类。把网放下后，渔夫便将高贵一点儿的鱼装入木箱中，用冰雪藏，一箱箱地叠上放在一旁。

较普通的鱼便倒入沸着水的大鼎，煮熟捞起，一条条地排成圆形装在藤篮中，等待第二天拿去市场贩卖，叫作"鱼饭"，吃粥时蘸着普宁豆酱，是仙人的食物。

一小时起网一次。这回是虾类，下次是乌贼和龙虾，每一网都有不同的收获。后来意外地网起一条六米长的鲨鱼，几个人合力将它扔回海中，因为它并不值钱。

煮剩的杂鱼丢给狗吃，它吃得津津有味，已经是过着猫的生活。

捡到一条半米长的腊鱼，去鳞后将两边的肉起了，蘸着自己带来的壶底酱油和芥末吃刺身，入口鲜甜无比。把鱼头和骨扔入海中，我发誓看到它活生生地游走。🍃

（图/曹黑黑）

巴西没有商务舱

□俞敏洪

来巴西之前安排行程，旅行社告诉我巴西国内的航班只有经济舱，我以为是商务舱被人订满了。

到了巴西，在巴西国内坐了四趟航班：从圣保罗到亚马孙的马瑙斯，四个小时航程；从马瑙斯到里约热内卢，四个小时；从里约热内卢到伊瓜苏瀑布，两个小时；从伊瓜苏到圣保罗，两个小时。四趟航班无一例外，上了飞机发现根本没有商务舱，从第一排到最后一排都是经济舱。

不光没有商务舱，而且巴西国内的航班没有大飞机，最大的就是波音737或者空客320。主要原因可能是巴西除了圣保罗和里约热内卢两个大城市之外，其他城市都是小型城市，大飞机客人坐不满。而里约热内卢和圣保罗两个城市之间才300公里，大飞机刚起飞就得降落了，还不如小飞机多几个航班，对于乘客更加方便。这两个大城市之间通航都用市内小机场，方便乘客节约更多时间。

究其巴西国内航班没有商务舱的原因，我问了一个空乘人员，说是巴西讲究平等，一视同仁，所以只有经济舱。但我后来发现这个理由不靠谱，因为从巴西起飞的国际航班，尤其是飞往拉丁美洲之外的航班，都有商务舱，而且商务舱的座位还很多。

所以，唯一能站得住脚的就是经济原因。巴西经济整体上还不是很景气，需要来回奔忙出差的商务人员不多，大多在里约热内卢和圣保罗。这两个城市之间，真正的有钱人可以坐直升机或者私人飞机来往。因为巴西空域开放，直升机是有钱人常用的交通工具。

巴西人民尽管收入不高，但喜欢度假，坐飞机去其他地方度假的人很多是普通老百姓，相信他们宁可把钱花在酒吧喝啤酒或者寻找兴趣上，也没多少人会花冤枉钱坐商务舱。所以在飞机上安排商务舱，空着不合算，最后航空公司干脆把商务舱取消了，这样飞机上都是经济舱，简单、热闹、平等。我相信任何事情的发生都有经济上的原因，巴西国内的航班都是经济舱，对于航空公司和顾客都是有利的事情，是两方共同选择的结果。

（图／罗再武）

谈吐有气质

□ [日] 加藤惠美子　译 / 王蕴洁 代芳芳

　　无论是搭乘公共交通工具、逛服饰店或是参加派对，只要听一个人说话的声音，就大致可以猜到他（她）是怎样的人。无关谈话的内容或是遣词造句，从说话的声音就可以想象那个人的长相。难道长相和声音是互为一体的吗？

　　音色和音质固然是判断的基准，但最重要的是音量。当一个人用周围人都可以听到的音量说话时，不管内容如何，都显得低俗。从另一个角度来说，不管音质、音色如何，小声说话是谈吐有气质的首要标志。

　　但是，如果小声到连交谈的对方都听不到，就代表缺乏自信。有气质的人会用只有谈话对象能够明确听到的声音说话。

　　想要谈吐更有气质，可以在谈话时巧妙运用只有对方了解的词汇、谚语、惯用语、比喻，即使不小心被别人听到谈话内容，别人也无法理解，也就不会造成其他人的困扰。

　　首先学习调节自己说话的音量，就会发现，说话缓慢、简洁，即使不提高分贝，也会将语意明确传达给对方。

　　想要谈吐有气质，必须特别注意情绪激动时的说话音量。无论高兴或受到惊吓，人在情绪激动时，往往容易大声说话。尤其和亲朋好友聚在一起时，情绪一激动，就开始大声喧哗，忘记周围还有其他人，这种行为显得自己很没气质（但有危险状况时，当然必须大声通知）。

　　大嗓门的人不要远距离交谈，尽可能走到对方面前说话。在公共场合，即使是很熟识的朋友，说话时也要避免使用太随便、太刺耳的词汇。必须随时谨守这个规则。

　　经常在路上看到母亲大声斥责小孩，遇到这种情况，遭到白眼的往往是母亲。无论在训斥小孩或是小狗时，小声但严厉的语气也比大声更有效。

（图 / 木木）

无价胜有价

□雷志军

2011年，一些制片人争着要把小说《琅琊榜》拍成电视剧，给作者海宴的版权费一个比一个高，使得海宴一时不知该把版权卖给谁了。而让海宴感觉很不爽的是，这些制片人都很精明，彼此出价是一点点地往上加，太不爽快了。

制片人侯鸿亮看完小说后，当得知该书的版权现在炙手可热时，他立即吩咐助理王东订机票，准备直接飞往成都找海宴。王东忍不住问道："您是要以更高的价格抢到版权吧？"侯鸿亮点了点头："是啊，但高价不一定能拿下版权，其他人可能会出价更高。""那怎么办？"王东问。"我现在还没想好，你也想想办法。"侯鸿亮皱眉道。一路上，王东绞尽脑汁想了许多办法，但都感觉可行性不强。

下了飞机已是晚上，躺在宾馆，王东想了一整夜仍一筹莫展。其间，他建议请海宴的好友出面，但侯鸿亮告诉他，海宴为人低调、身份神秘，短期内很难找到合适的中间人打招呼。

第二天上午，无计可施的他们找到海宴。但令人惊喜的是，海宴非常爽快地卖给了他们版权，而且价格比其他制片人还低。因为在洽谈中，侯鸿亮拿出了一份合同，上面版权费一栏是空着的，为了表明诚意，侯鸿亮临时决定让海宴自己填。此举让海宴和王东倍感惊讶，王东暗忖：侯总是不是想疯了，这大方得有点儿离谱了吧！万一海宴填个天价怎么办！但出乎意料的是，海宴竟然填了一个平常的价。

后来海宴说："鼎鼎大名的侯鸿亮导演亲自上门且毫无架子，还让我自己填价，这与其他制片人的计较恰恰相反，我是被打动了，当然不能太小气，于是自降身价减少了版权费。"感情是互动的，你怎么对别人，别人就会怎么对你。●

（图/关节熊）

杜甫的绯鱼袋

□张 炜

郭沫若先生说到李白与杜甫，对李白非常偏爱。李白是一个浪漫主义者，深刻地影响了中国一代又一代诗人，包括郭沫若先生自己。所以他在《李白与杜甫》中，写到李白的时候就常常表现出许多宽容和谅解——虽然也表达了一定程度的痛心，但基本上是推崇和赞扬的。而对杜甫就不是这样，有时算得上是苛刻。

其实杜甫和李白在许多时候是十分相似的。我们常常讲李白是一个浪漫主义诗人，杜甫是一个现实主义诗人，因为二者在性格、做人方面色彩迥异，他们写出的诗章也必然有一些审美差异，人生目标也不尽相同。可他们都是杰出的诗人，生活在同一个时代，一些言行也相差不远。杜甫在推荐自己的时候，同样用词大胆而泼辣，很有自吹自擂的锐气。还有喝酒，一般都知道李白是一个酒徒，极度嗜酒，却对杜甫的能饮视而不见。

李白二次进京以后受到了皇帝的厚待，与权贵多有交往，并且一生都视这段经历为最大的荣耀。杜甫有过之而无不及，比如年老的时候，正赶上好朋友严武做了四川的最高长官，对方出于对杜甫的怜惜和敬重，就给皇帝上了一个表。结果杜甫得到了一个相当于六品的虚职，这就是后来人们常说的"杜工部"。

从此杜甫有了一个表明职级的"绯鱼袋"，一直挂在身上。这个袋子给杜甫带来了许多荣誉和不便。他和一些年轻人同在严武的幕府中，因为披挂这个袋子，惹得年轻人嗤笑，最后弄得极不愉快。他在《莫相疑行》中写道："晚将末契托年少，当面输心背面笑"，指的可能就是这段经历。

杜甫到了身体极度衰弱的晚年，终于把这个绯鱼袋从身上解下来。在死亡的威逼之下，他已经顾不得那么多了。

（图/小栗子）

猫牛盗

□陆布衣

宋代岳珂的笔记《桯史》，卷十二有《猫牛盗》，虽是偷盗，却也专业得很。

临安城北有和宁门，那里有一家店铺，号称"鬻野味"，价低肉多，老百姓经常跑那儿买野味。这家野味店的肉，其实都是偷来的。偷狗，夜里用布袋套着狗背着跑，偷猫，则白天偷。临安人居住密集，活动空间少，狗啊猫啊什么的，一会儿就从家里跑出来了，跑出门来，就很容易丢失，那些人一看见猫，立即将它捉住，再将它放到门口的消防桶中全身浸湿。猫身上一湿，它就会不断地舐，一定要到干燥才停，所以，它不会叫。

上面是偷猫。偷牛，则更专业。

牛喜欢吃盐，偷牛者拿着一把钩子，一根竹竿，一根绳子，竹竿是用来赶牛的，钩子和绳子都捆在腰间，这身打扮，看见的人，都不会怀疑。偷牛者，晚上进入牛栏，

用盐喂牛，牛伸出舌头，就迅速用钩子钩住，牛想嚎叫，嘴里却有锋利的钩子，牛不得不乖乖听话。偷牛者在前面跑，牛在后面跟着跑，一路狂奔，一夜狂奔。所以，一夜跑出百里外，也就不奇怪了。

偷牛者，当然也是人的错，可是，牛也贪嘴。牛贪嘴，更多的是一种隐喻。盐虽好，却是诱饵，嘴贪了，舌伸了，就给钩子一种机会，钩子就是那些形形色色的行贿者，他们千方百计想要钩住各个舌头，为己所用。而一旦被钩住，就由不得你了，跳跃腾挪，都没有用，只有乖乖跟着钩子跑，钩子跑多快，你就得跑多快，不然，你就死定了！

这些小偷，智商不低，如果将这些心思用在做人做事的正道上，那该多好啊！

（图／小栗子）

最好的样子，是被爱出来的

□陶瓷兔子

我认识一个女孩，是超级没有安全感的那种类型，即便是女性朋友聚会时聊到一个她不了解的话题，她也要落泪："你们是不是都不喜欢我了，我是不是多余的？"

怎么说呢，女孩子过了20岁，这样的性格总是不够讨喜的，她谈过几场恋爱，无一例外都因自己的小题大做而分手。再浓厚的情谊，也抵不过一次又一次的抱怨和怀疑。

后来她又谈了一场恋爱，听说她男友常常把她的好挂在嘴边，今天夸她温柔大度，明天说她独立坚强。有种情人眼里出西施的滤镜吧，大家笑笑，谁也没当真。

我再次见到这个女孩差不多是一年之后，她跟男友手挽着手走在街上，看到我们老远就热情地招手："好久不见，一起喝杯咖啡？"

我们在一家冷饮店坐下，她男友马不停蹄地帮我们点餐、拿甜点，她坐在那里笑嘻嘻地看着他跑前跑后。我挺惊讶的。相识6年，这样的大方和爽朗，自信与平静，我从未见过。她就像一只炸毛的猫被捋顺了毛，终于收敛了一身煞气，温柔地伏于那人肩头。

我旁敲侧击地打听他们的恋爱史，她只简单地说几句两个人相识的过程，就羞涩地低下了头。她男友坐在一旁，看她时满眼都是宠溺，轻轻覆上她的手背："我女朋友，哪儿哪儿都好。"

我一瞬间读懂了她的改变。他坚定的爱意像是她的盾，让她第一次知道，无论自己跌落何处，都有他的支持。当她的好与坏统统落入他眼中，而他接受的时候，她就是他眼中最可爱的那个人。

一个人最好的样子，一定是被爱出来的。🌱

（图／木木）

白马

□余秋雨

　　那天，我实在被蒙古草原的胡杨林迷住了。薄暮的霞色把那一丛丛琥珀般半透明的树叶照得层次无限，却又如此单纯，而雾气又朦胧地弥散开来。

　　正在这时，一匹白马的身影由远而近。骑手穿着一身酒红色的服装，又瘦又年轻，一派英武之气。但在胡杨林下，只成了一枚小小的剪影，划破宁静……

　　白马在我身边停下，因为我身后有一个池塘，可以饮水。年轻的骑手微笑着与我打招呼，我问他到哪里去，他腼腆地一笑，说："没啥事。"

　　"没啥事为什么骑得那么快？"我问。他迟疑了一下，说："几个朋友在帐篷里聊天，想喝酒了，我到镇上去买一袋酒。"确实没啥事。但他又说，这次他要骑八十公里。他骑上白马远去，那身影融入夜色的过程，似烟似幻。我眯着眼睛远眺，心想：他不知道，他所穿过的这一路是多么美丽；他更不知道，由于他和他的马，这一路已经更加美丽。

　　我要用这个景象来比拟人生。人生的过程，在多数情况下远远重于人生的目的。但是，世人总是漠然于琥珀般半透明的胡杨林在薄雾下有一匹白马穿过，而只是一心惦念着那袋酒。

　　好了，那就可以做一个概括了——第一，过程高于目的，白马高于酒袋。第二，过程为什么高？因为它美。第三，美在何处？美在运动中的色彩斑斓，美在一个青春生命对于辽阔自然的快速穿越。因此，美是青春、生命、自然、色彩、穿越。你看，匆忙之间，却出现了一门完整的美学。

（图/木木）

把活鱼装进礼品盒

□唐效英

没有做不到，只有想不到。

沈阳的佟庆富是一个养鱼户，5年前的一次"发明"，却改变了他的人生。那次，他用塑料袋装了鱼到朋友家串门，可塑料袋被鱼鳍扎破了，水洒了一地。他突然冒出一个想法：把活鱼装在更牢固的氧气袋里，再放入包装盒里当礼品卖。

但问题来了，一是塑料袋容易破，二是如何充入氧气让鱼活的时间长。佟庆富先是选用了一种加厚塑料袋，把活鱼装进袋子里，灌进水和氧气再把袋口密封，但是一天之隔，原先鼓鼓的塑料袋就会瘪掉，因为塑料袋上有很多肉眼无法看到的小孔泄漏了氧气。他又把目光转移到更坚固的塑料瓶上，这样一来，不用担心瓶子会破，也不用担心鱼会缺氧而死。

试验成功后，佟庆富立即拿出所有的存款购买了必备包装设备，进入规模生产。

同时，他还查了很多鱼的习性和营养特点，咨询了厨师，整理出一套烹饪鱼的说明书，和塑料瓶一起作为赠品放在礼品盒里。他把礼品鱼做成了高、中、低三个档次的包装，把它们推向了各大超市和土特产礼品市场。佟庆富的礼品鱼一上市就得到消费者的青睐。原先一条只能卖20元的鱼，一包装成礼品鱼以后就能卖到100元。仅仅一个春节，佟庆富就净赚40万元。更值得一说的是，因为鲜鱼成了包装精美的礼品，所以它超出了节日的限制，成了一个任何时间都适合购买和赠人的礼品。

可见，只要有想法就去做，只要去做就有可能成功，哪怕是像把活鱼装进礼品盒这样看上去不可能的事情。

（图/木木）

想我，就看看天

□苗向东

有一期《朗读者》节目中，董卿请到了94岁久负盛名又硕果累累的画家黄永玉。

黄永玉是个"老顽童"，他说自己早已写好了遗嘱，"骨灰不要留"！这让观众心里一阵发酸。他看出有些人怕死，于是说："死有什么好怕的？到时候把手表什么的好东西从身上拿下来，烧了就完了。"

20多年前，黄永玉的女儿告诉他："汪曾祺伯伯去世了。"他淡定地说："好啊！"他不是不尊重逝者，只是他活明白了。

与黄永玉同辈的朋友都相继离世了，他怀念老友，有时候会想想往事，他表示日子不是用"怀念"来过的，他要画画，要写小说，有很多的事要做。有一次一位领导让他去301医院全面检查一下身体，黄永玉说："我正在写小说，如果不写出来就可惜了。如果给我时间写完了小说，什么病我都不怕。"

2014年，他将自己最值钱的代表作《春江花月夜》捐给了国家博物馆，他说："人老了，画留在家里干吗，捐给国家是最好的选择。"

有人问他："生命和艺术有什么意义？"他说："人就是爱把自己看得太有价值，想让别人记住自己。记住干什么呢？生活其实就是过日子，干吗要活在人的心上？用得着吗？死后你什么都不知道了，活在别人心里有什么用？"

谈到身后事，有一些朋友说："你应该把骨灰留起来。"黄永玉说："李白、苏东坡的骨灰也找不到啊！我的骨灰不要固定埋在一个地方，省得朋友坐飞机来。骨灰放到抽水马桶里，就在厕所举办个告别仪式，拉一下水箱，冲水、走人。你想我，就看看天、看看云嘛。"

（图/小栗子）

鹰的两种生活

□［蒙］策·图门巴雅尔　译/照日格图

一只鹰被拴在墙角，它的眼睛被蒙着。它失去了在湛蓝的天空中飞翔、呼吸雪域高原凉爽的空气、俯视白雪皑皑的山顶的自由。现在它在难闻气味混合的墙角承受并享受着这一切。如果把这只鹰放在雪域高原，那么等待它的或许只有死路一条。它的双翼已经变得毫无力气，甚至逊色于蚊虫的翅膀。

其实鹰的生活是这样的：

在悬崖峭壁上温暖的巢里，母鹰最后一次喂饱了它的两只雏鹰。两只小鹰摆动着它们稚嫩的翅膀欲试飞。这时母鹰用深黄色的眼睛看了看自己的孩子，然后翅膀一扇，它们赖以生存的巢便掉进了万丈深渊。它们迅速下降。深渊像猛兽巨大的嘴，贪婪地张开着。一只小鹰用力地扇动它的翅膀，并在瞬间找到了平衡。它看到与它共同生存了数月的兄弟摔到了地面上，粉身碎骨。母鹰停落在峭壁上看清了这一切，然后缓缓地飞去，这次是诀别。就这样小鹰在残酷的竞争中战胜了自己。

生存下来的小鹰在以后的岁月里经历了生活的种种艰辛。它现在拥有了勇猛、果断和机智。在数月后它学会了怎样从深不见底的山涧叼起一只羚羊飞向天空。在生活的残酷中，它长大了。

若干年后它那双散发着微微蓝光的眼睛渐渐失去了原有眼神。它老了。在它的一生中也曾用翅膀把几个温暖的巢推下山崖，当然，巢里有它的孩子们。在生命的最后时刻，它用力盘旋着，在湛蓝的天空中成了一个小小的黑点。没有人知道，鹰，这只高贵的动物，它的死也会在天上。

而眼前的这只鹰，依然在蒙住眼睛的黑暗中过着"安逸"的生活。或许在这样的另类生活结束时它都找不到一个回归的点。🌿

（图/木木）

秘方

□陆春祥

杭州吴山有卖秘方的，生意不错。有一人花了三百钱买了三条，"持家必发""饮酒不醉""生虱断根"。卖家将秘方用纸封好，慎重交给买者，并郑重交代：这方子极灵，请不要随便传人！

买者回家，小心打开，每条上面只有两个字：勤俭、早散、勤捉。大悔，想想人家说得也对，终究没有理由退钱。（清·陆以湉《冷庐杂识》卷一《秘法》）

所谓"秘方"，基本不可信，如果一定要有，那也只是一种技巧而已，或者说是人们长期实践积累而成，门内汉骗门外汉。

权且将上面六字当作秘方，但它们也只是达到目的之一种而已。比如，勤俭能发家，道理一万年不错，但是勤俭就一定能发家吗？不见得，中国人的传统就是勤俭，但自古至今，也只有少数勤俭的人能发家。反过来，奢靡却一定会败家，因为坐吃山空，富不过三代。

举作文秘方。唐朝就有了。

白居易和元稹，曾经同窗，一起在复习班里努力学习，将科举作为自己终生奋斗的目标。他们中举以后，白写给元的一首诗这样回忆：

皆当少壮日，同惜盛明时。

光景嗟虚掷，云霄窃暗窥。

攻文朝矻矻，讲学夜孜孜。

策目穿如札，锋毫锐若锥。

白自己注释说：当时他们为了应付考试，共同收集考试的范文，总共收了数百篇，每篇都用细锋细管的毛笔抄写，编扎成册，带在身上去参加考试。考试后，受益匪浅，两人于是相视而笑，称之为"毫锥"。

元白为了应付考试而编的范文，就成了后来考生们的秘方。

现代人为了各类考试，编的秘籍成千上万，汗牛充栋，大部分读书人都充分领略，效果呢，仿吴山卖秘方者，也是两个字：勤奋。🌿

（图/曹黑黑）

别局限于一口井

□禹正平

岳父住在乡下，那里没有自来水。许多年前，他雇人在屋前打了一口井，为了保持水的清洁和预防农药误入，特意从鱼塘里买了几条三寸来长的金丝鲤鱼担当健康卫士。

鲤鱼刚投入井里那会儿，只要去岳父家，我便去那口井边，观赏那几条漂亮的鲤鱼：它们鼓着褐色的眼睛，扇动着通红的尾巴，载沉载浮，悠闲自得。

一转眼，两年过去了，这些鲤鱼似乎没有什么变化，依旧三寸来长，鼓着褐色的眼睛，摇动红色的尾巴，怡然自得地在井里游玩，让人感叹不已。

第三年秋末，鲤鱼的命运突然发生了转变。一条高速公路从岳父家门口经过，那口井需要填埋。拿到补偿款后，岳父准备将井移到屋后，但由于村里的青壮年都外出打工去了，一时无法动工。填埋那天，岳父只好将那几条金丝鲤鱼从井里捞出来，暂时放在屋后的水田里，打算等新井打好

后，再放进去。

新井打好，已近年底，我随同周围的村民去水田看岳父捉鱼。当岳父捞出一条金丝鲤鱼时，大家感到非常吃惊，因为在短短的三个月里，这条鲤鱼长大了一倍。我以为这是特例，但当其他几条鲤鱼也捞出来后，我发现它们同样比原来长大了一倍。

望着这些活蹦乱跳、让人意外的鲤鱼，大家七嘴八舌，议论纷纷。有人说可能水田里有虫子吃，鱼才长这么大；也有人说水田里有一种特别适合鱼食用的草类；还有人说水田的水，含有一种人们未知的有益鱼类生长发育的微量元素。但无论如何，都有一个共同的前提，那就是水田要比水井大得多。

鲤鱼如此，其实，年轻人的成长也是这样，要想使自己长得更快，长得更大，就不要局限于一口小小的井。

（图/曹黑黑）

卫生间里的奥斯卡小金人

□流念珠

因主演电影《泰坦尼克号》中露丝一角成名的英国女演员凯特·温斯莱特，于2009年凭借电影《生死朗读》问鼎第81届奥斯卡最佳女主角奖，拿到了她梦寐以求的奥斯卡小金人。颁奖结束之后，凯特拿着小金人一直不肯撒手，生怕碰坏。由此朋友们推断：她一定很重视这个奖项，回家之后会将小金人摆放在大厅显眼的位置。

有趣的是，事实并非如此。几个要好的朋友在随后的拜访中发现，凯特居然将小金人摆进了自家的卫生间！

朋友们纷纷猜测：这是为什么呢？他们没太好意思直接问凯特。不过，在他们进入凯特家的卫生间之后，就知道她为什么要那样做了。

凯特的朋友中有个叫丽莎的女孩，她是这样描述的："当我在她家卫生间的梳妆台上发现小金人时，产生了一种好奇感。我细细打量了它，又拿起它掂了掂分量，大约有4公斤重。放下小金人的那一瞬间，我明白了凯特为何将它放在卫生间里——她希望所有的访客都能'偷偷地拿起小金人，再放回去'，那样，就能避免我们大家一开口就谈到小金人，以为她在炫耀。凯特真是一个善解人意的人。"

的确，凯特在随后的一档节目中也提到，她之所以将奥斯卡小金人放进卫生间，就是为了照顾朋友的感受。

她说："毫不避讳地说，我很喜欢也很重视小金人。但相比之下，我更重视与朋友间的情谊。我不希望因为客厅摆放了小金人，朋友们对我避而远之，但我也明白他们对小金人有一种好奇感。所以，我干脆把小金人摆进相对有隐私空间的卫生间里。那样，他们的好奇能得到满足，而我们之间的友情也能继续维系。"

（图/曹黑黑）

秘密

□ 倪 匡

相当久之前，看过一篇小说。

说的是一对夫妇，婚后数年，妻子一直为一件事烦恼——丈夫的书桌上，有着一只锁着的抽屉。

妻子非常想知道抽屉里到底是什么，于是就千方百计，想打开那抽屉，想知道里面藏着什么秘密。

最开始是暗示，暗示无效，又由暗示转为明示，要丈夫打开来看。

可丈夫就是不肯打开。

于是妻子就发挥了女性的想象力，丰富至极，去想那抽屉中是什么。

结局如何，记得不是很清楚了，那些一点儿也不重要，重要的是，这篇小说可以说是一个寓言，说明了一桩事实。

人人都有秘密。

即使是最亲近的人之间，也互相都有不想被对方知道的秘密！

千方百计去把别人心中的秘密发掘出来，不但是最愚蠢的行为，而且是极可怕的行为。

愈是想去发掘关系亲密的人的秘密，就愈是愚蠢和可怕。

不但人人都有不想人知的事，人人也有权保留自己想保留的秘密。

而事实上，人人都有能力保守自己想保守的秘密，再严酷的"逼供"，再精密的调查，都无济于事。

别去打探他人的秘密，不管这个人是你的什么人。🖋

（图/曹黑黑）

特殊情书

□卡　西

明朝名医李时珍不仅医术精湛，而且颇有文才。

有一年，李时珍外出寻访名师，在外面生活了五个月。在这期间，李时珍的夫人曾经给他写了一封别致的"中药情书"："槟榔一去，已过半夏，岂不当归耶？谁使君子，效寄生草缠绕他枝。令故园芍药花无主矣。妾仰观天南星，下视忍冬藤，盼不见白芷书，茹不尽黄连苦！"

古诗云："豆蔻不消心上恨，丁香空结雨中愁。"

奈何！奈何！

在这封情书中，槟榔、半夏、当归、使君子、寄生草、芍药、天南星、忍冬藤、白芷、黄连、豆蔻、丁香都是中药。李时珍的夫人把中药的名字串联起来，表达了自己对夫君李时珍的思念之情。

李时珍看了夫人的情书，感慨万千，心中也油然生起对夫人的思念之情。他立刻回信写道："红娘子一别，桂枝香已凋谢矣！几思菊花茂盛，欲归紫菀。奈常山路远，滑石难行，姑待从容耳！卿勿使急性子，骂我曰苍耳子。明春红花开时，吾与马勃、杜仲结伴返乡。至时有金相赠也。"

李时珍的情书中写的红娘子、桂枝、菊花、紫菀、常山、滑石、从容、急性子、苍耳子、红花、马勃、杜仲也是中药。

李时珍的回信写得文辞纤巧，语意缠绵，倾吐了夫妻间深切的相思之情。有趣的是，李时珍在信中写的"红娘子"这种中药与"妻子"双关，非常别致。

（图/小栗子）

虫鸟更聪明

□林清玄

　　我在乡下的荒地里看到两棵野生的阳桃树，都是很好的软枝品种。阳桃树也没有辜负它的好品种，结满了果实，树枝因太重的负担低垂着头。熟了的阳桃落了一地，遍地金黄，蜜蜂与果蝇在阳桃树下飞舞。

　　这两棵野生阳桃树的盛产使我吃惊，因为既不使用农药，也不使用肥料，阳桃树竟可以如此高大，长出如此多的果实。更使我吃惊的是，这些阳桃竟然没有人采收，也没有人愿意吃，任其凋落一地，是不是这阳桃不好吃？

　　等我站在阳桃树下，一看就懂了：由于未使用肥料，这些阳桃不像市场里的那样硕大；由于未使用农药，阳桃的表面多少有虫鸟咬吃的痕迹，几乎没有一个是完整的。现代人吃惯了以肥料培育、用农药保护的水果，对这貌不惊人且有一点儿瑕疵的水果当然不屑一顾了。

　　我想起一位种水果的明堂表哥，他曾对我说："我们自以为聪明，其实比鸟雀都笨，甚至比虫都笨。那些没喷农药的水果，外表虽然丑一些，但虫鸟都喜欢吃；那些喷了农药的水果，外表虽美，虫鸟却不会去吃。人只注意水果外表的美丑，虫鸟却看到了更深的内在啊！"

　　明堂表哥种的水果都不用农药，在果树结果的时候，他用塑料袋把果实一个一个地包起来。而在每个果园里，他总会留下一棵树的果实给虫鸟吃。他常说："虫鸟真聪明呀！它们都会从熟的开始吃，所以整年水果不会断。它们吃饱了就走了，不像一些偷水果的人，连生和熟都分不清。"

　　我采了两大袋软枝阳桃回家，洗干净，把虫鸟咬过的部分削去，切成丁，端出来请大家吃。大家吃了都大为惊叹："这么美味的阳桃真是少见呀！"确实，由于没有使用农药与化肥，那阳桃比市场上的更甜、更脆。我吃阳桃时想起了明堂表哥说的话："虫鸟比人更聪明。"

（图/曹黑黑）

人间值得，好好活着

□ 淡淡淡蓝

盛夏的一个傍晚，朋友对妻子说："我要去市政府那边的荷塘采些莲蓬，你可否愿意和我一起？"

说起市政府那边的荷塘，我刚学摄影之时经常在那边转悠拍片，依稀记得在那样的地理位置想要采摘莲蓬，是比较困难的。

但据说朋友每年都会去荷塘摘取几许，放在案头清供。

那日妻子看了看傍晚时分还很炽烈的阳光，摇摇头，说不去。

朋友决定独自前往。

走到门口，他突然转过身，对妻子说："万一我久去未归，你就报警！"这话有些莫名其妙，仿佛是个黑色幽默。

他果真久去未归。

妻子寻到荷塘，报警，朋友已深陷荷塘的淤泥之下，并且，从此在这个世界上消失。

事后，圈内好友揣摩了又揣摩，推测了又推测，都觉得他的死因悲伤莫测。

如今想起，若有所思，莫非，他也是心里的螺丝松了？而且是好几颗……

就像我们家里的电器，用久了就会出现故障，人生漫长实苦，总会有螺丝松了的时候。

螺丝松了，就赶紧旋紧，而不是任由其松到掉落。就像婚姻，即使人们眼中最完美的夫妻，一生中也起码有过"想要离婚"的念头。但是如果谁都是有了"想要离婚"的念头就去离婚，婚姻也就没有其存在的必要了。

日本作家太宰治曾写道："我本想这个冬日就去死的，可最近拿到一套灰色细条纹的麻质和服，是适合夏天穿的和服，所以我还是先活到夏天吧。"

瞧，人间是多么值得，哪怕是一件漂亮的衣服，所以，请务必好好活着。

华为的司机

□余胜海

　　我去过国内很多大公司，虽然也有专车接送，但我认为华为接送客户不仅车好，司机服务更好。华为的司机都受过专门培训，素质较高、举止文明、技术和服务一流，他们在日常工作中都能够不折不扣地做到：西装革履，即使在盛夏也穿着衬衣，戴着领带，干净整洁。车里一尘不染，空气清新。

　　无论客户级别高低，他们早早就打开车门，一手扶着车门，一手扶着车顶上沿，说："您好！请当心。"

　　不开快车，精力集中，不会猛踩刹车和油门，车速平稳。深圳市里的公路和高速无异，任凭一辆辆车超过去，开着奔驰车的华为司机不会"动情"地把车开到90迈以上。如果不是客户赶时间，在去机场的高速公路上也不会超过120迈。

　　情绪始终平稳，不急不躁。如果觉得你有说话的兴趣，他会对你得体地介绍深圳，介绍华为，解说很专业，有的还会讲一口流利的英语，他们还可以得体地和你拉拉家常。

　　车上一般放着比较悠扬的轻音乐。客户去游玩，他们在车里静静地等待。

　　到了吃饭时间，如果不需要等，无论你如何诚心邀请，他也不会与客户一起吃饭，等你吃完了，他会准时等在门口。如果全程用车，除非是比较随便的场合，同时销售人员也允许，否则他们也是自己解决，绝不会和客户一起吃饭。如果是与客户吃饭，他也是快速把饭吃完，不在桌子上随便说话，然后到车里去等着。

　　参观过华为的客户，没有不为华为司机的风范所折服的。而且，在华为公司各办事处的司机的行为规范都是一样的。

　　可以说客户在华为能真正体会到"上帝"的滋味。从华为司机的这些细节中可以体现出华为"以客户为中心"的核心价值观和强大的组织执行力。

先吃三口白饭

□江志强

　　《遵生八笺》里，记载了这么一件事：一位僧人吃饭时，总是先吃三口白饭，顿顿如此，年年如此，一生如此。问及原因，僧曰："一者，以吃饭知正味。人食多以五味杂之，未有知正味者，若淡食，则本自甘美，初不假外味也。再者，思衣食之从来。三者，思农夫之艰苦。"细品此僧之语，意味深长。

　　现代人在饮食方面，多随意，少仪式，无虔诚，于光怪陆离的生活中，来也匆匆，食也匆匆，不知食之真味。那位僧人投箸之时，不先夹菜，而是先吃三口白饭，将那无油、无盐、无香之米饭，含入口中，细嚼之，静品之，缓咽之，品出了饭之真味，实为难得之境界。

　　有一回，面对一桌色香味俱全之菜肴，众友争相投箸，夹之，尝之，赞之，推杯换盏，不亦乐乎。我却仿效《遵生八笺》中的那位僧人，不先吃菜，先吃白饭。一口下去，寡淡无味，竟有难以下咽之感。彼时，夹菜而食的欲望如火升腾。但，我忍住了，继续吃第二口白饭，慢慢地咀嚼，直到嚼出饭粒中溢出一丝若有若无的甜意。

　　一连三口白饭过后，我的口中居然清清淡淡，不油不腻，绝无异味，甚至有一份暗香盈动之感。

　　再无味的饭，只要细细品嚼，自会品出滋味。就像那位僧人所言："若淡食，则本自甘美，初不假外味也。"这便是饭食的本味，衣食之本源，更是生命的初始。

　　白饭何来？来自那苍茫大地。我那纯朴的父老乡亲们，一年四季，面朝大地，脊背朝天，躬耕不止，在土地里收获滋养生命的白饭，一辈又一辈，甜甜淡淡，苦苦乐乐，生生不息。《朱子家训》中说："一粥一饭当思来之不易，半丝半缕恒念物力维艰。"此之谓也。

　　先吃三口白饭，方解菜肴之五味，方得古僧之禅境，方知生命之初心。✿

（图/曹黑黑）

黑色的北极熊

□毕淑敏

当我问北极熊的皮肤是什么颜色时，估计大多数人都会说："白的呀。这还用问吗？"错啦！北极熊的皮毛看起来是白色，皮肤却是黑色的。不信你注意观察它的鼻头、爪垫、嘴唇以及眼睛四周无毛之处，就会看到黑漆漆的皮肤本貌。

至于北极熊为什么会长成这模样，也是拜酷寒所赐，黑皮肤有助于吸收阳光热能。

再问一个问题：北极熊的毛是什么颜色？有人会说："白色啊，谁不知北极熊又叫白熊。"呀，不对。北极熊的毛是透明的，形状也很特别，每一根毛发都是中空的，如透明吸管。这样的构造，可以让阳光直接透射到毛下的黑皮上，使热量畅通无阻地被汲取入身。对毛色透明这一说法，很多人都半信半疑。

好在有人颇有刨根问底的科学精神，为了找到准确答案，干脆跑到动物园，搞到一根北极熊毛发，把它送到实验室，请科研人员在显微镜下观察。为了让实验更具可比性，此人又把自己头上的黑发薅下一根，一并送到显微镜下。

结果怎样？显微镜如同照妖镜，人发为黑，北极熊毛则呈完全透明的管状。科研人员说："人发有实心髓质，呈黑色。北极熊毛无髓，为空腔小管，因此全透明。""可无数人亲眼所见北极熊都是白色啊！"

科研人员答："光线射在北极熊身上，当所有波长的光都被散射时，就呈现白色。好比水本身是透明的，但河流溅起的水花会呈现白色。这都是光线变化引致。"此刻，请你闭上眼睛，设想一下北极熊的真实模样——一身黑炭似的皮肤，披着无数根透明的长毛，在蔚蓝的冰水里舒展身姿，高傲而孤独。

如果北极冰层彻底融化，北极熊丧失了休养生息的家园，最后被活活饿死，变成一张褴褛黑皮，人类啊，包括你我，难辞其咎。🌰

（图／小栗子）

看开"传宗接代"

□蔡　澜

对生儿育女的观念，我早已看得很开。

这是旅行带来的礼物，当你在欧洲遇到许多夫妇时，你就会知道没有子女，人，照样可以活得很开心。而且他们的父母，也绝对不会怪他们不传宗接代。

一起旅行的团友，多数是夫妇，有的和我一样，不相信一定要生孩子；有的儿女已成家立业，没人在他们身边，也和我一样。

"哎呀，你不知道家庭的乐趣，那多可惜！"有些人摇头。

"哎呀，你自由自在，真是羡慕死我们了……"有些人点头。

他们怎么想，对我一点儿影响也没有。如果做人要为别人而活的话，也是相当悲哀的一件事。

虽然这么说，父母之言，还是要听的。最难过的那一关，还是担心家长对我的期望，这是非常迂腐的。不过，蔡家已为长辈传了六个孙儿孙女（哥哥、姐姐和弟弟各两名），只有我没有后代，我父母亲是默许的。

看见友人为他们的子女烦恼，我捏了一把冷汗，当他们跑来和我商量时，我不知道怎么安慰他们。我有最好的借口："我自己没有，不了解，不懂如何处理。"

儿女背叛父母的例子也太多了，父母憎恶子女的案子也见得不少。让上帝去原谅吧，我们自己饶恕不了的话。

"现在养一个小孩，根据统计，要两百多万港币。"一位带着一家人的团友说。

另一位没有子女的笑嘻嘻："蔡先生的旅行团团费两万多，我没有小孩，可以参加一百次。"🍃

（图/小栗子）

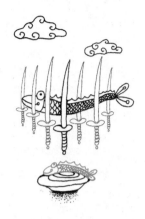

鲈鳗的悲剧

□石顺江

鲈鳗是一种生活在淡水里的鱼类，体态呈圆柱形，皮很厚，鱼鳞细软到肉眼几乎无法辨认。它身上能分泌出大量的黏液，从而保证自己身体的湿润，这样就可以在陆地上做短距离的迁移或捕食。鲈鳗的主要食物是小鱼、小虾、水生昆虫，有时也捕食蟹、蛙、蛇及河边的嫩笋、青草等。

鲈鳗的营养价值极高，被人称为"水中人参"，捕捉鲈鳗的人自然很多，却极难捉到它。因为鲈鳗嗅觉很敏锐，一旦发现险情，便会迅速撤离，甚至会用它尖锐的牙齿咬。台湾渔民在长期的捕鱼生活中，发现了一个极好的捕捉办法。鲈鳗经常爬到岸上吃草，在它经过的地方，身上的黏液会留下一条痕迹，下次再上岸的时候，鲈鳗还会继续走这条旧路。于是，一次又一次，黏液就加厚起来，阳光一晒，整条路就会发出光亮。渔民发现这个特点后，就在这条路上先横着埋下一排刀，每把刀都是刀刃朝上，在路的最后埋上一把直立

的刀，这把刀必须非常锋利。然后，就可以跑到水岸边坐享其成了。

鲈鳗身上的黏液对鲈鳗具有保护作用。鲈鳗经过的时候，那些横着的刀会将其身上的黏液刮掉。当失去了黏液的保护后，鲈鳗的肚子就会被竖着的刀刃割破肚皮，虽然顽强的鲈鳗不会立刻死去，可一旦爬回水里，肚子里会立刻灌满水，鲈鳗的生命就结束了。坐在岸边的渔民只等着水面上浮起鲈鳗尸体，就可以顺利打捞了。

一竖一横，横刀刮黏液，竖刀破肚皮，渔民仅用两招就轻而易举地捕捉到了鲈鳗。对鲈鳗来说，至死也不明白，将自己推向灭亡的竟然是那条走熟的路。

很多时候，人们总爱凭老经验办事，其实面对不同情况和问题，学会变通，适时适地改变策略才是正确的选择，而造成鲈鳗自身悲剧的根本原因就是不会变通。

（图/曹黑黑）

表白

□黄执中

有很多女生在被问到"你的男朋友，有什么优点"的时候，她们往往都会回答说"哦，他很爱我""他对我真的特别好""他什么都愿意为我做"。但事实上，这是一个误解，因为"男朋友对你特别好"这件事，主要不是你男朋友的优点，而是你的优点。

就像是，如果我的女朋友是林志玲，那么我保证，我也一定会对她特别好！我绝对什么都愿意为她做！但这一切，能算成我的优点吗？这能证明，我是一个多么好的对象吗？不，这一切，只证明了林志玲的优点，只证明了，林志玲，果然是一个好对象。

我跟各位男生分享一下，当你跟女孩子告白的时候，要怎么说，才能强调出自己真正的优点：首先，很多男孩子在告白时，犯了跟我之前所说的一样的错误。比如他们会强调，阿梅，请你答应跟我在一起，因为，我非常非常爱你，我什么都会为你做，

我会对你很好很好的！然而，这种话问题出在哪里？你什么都愿意为她做。这件事不是你的优点，而是阿梅的优点！所以你真正应该对阿梅说的，不是"我很爱你"，而是"我很懂你"。

这两句话意思完全不一样。我很爱你这件事，不是优点，不足以吸引阿梅。可是，我很懂你呢？这可就是一个专属于我的优点了。就像我很喜欢林志玲，这件事不足以成为她喜欢我的理由。可是，如果我很懂林志玲呢？我很懂她的心情、她的喜好，我很懂她的理想、她的才华。人生难得是知音啊。毕竟，喜欢林志玲，这件事谁都会，但能懂得林志玲，理解林志玲，这就不是每个人都能具备的了。所以，不管是对林志玲也好，还是对阿梅也好，这才是一个属于我的优点。

（图/木木）

有幽默感的人，做事容易成功

□蔡　澜

　　陪一个女人去买房子，前来介绍的女经纪，身体肥胖。她气喘吁吁地爬上了小山坡，满脸笑容，看完了一间又一间，我朋友都不满意，最后来到嘉多利山的布力加径，有间楼顶很高的，价钱又便宜，逗留得久一点儿。

　　我这个朋友是个名副其实的好管闲事的女子，常损人不利己，酸酸地讲对方几句，看见那女经纪人气喘如牛的怪样子，她单刀直入地说道："你有没有140磅？"

　　"哇，请你不要乱讲，我现在哪里有140磅？"女经纪哇哇大叫一轮后说，"我20岁那年已经140磅了。出来做事，爱吃东西，一年胖1磅，现在160磅了。"

　　连那个绷着脸的女子也被她惹得笑个不停。幽默真是一件大武器，绝对比那两个打破头的男经纪强得多。

　　我出外景叫选工作人员，如果对方能讲一两个笑话，绝对要和他签约，因为我知道一去就是几个月，好笑的人比不好笑

的容易相处。

　　有幽默感的人，做事的成功机会总比别人多，得到的朋友会更多。别以为讲笑话就是轻浮，连做总统也得讲两个笑话来缓冲紧张的局面，里根和克林顿都使此招。

　　"你为什么出来做这一行？"女子又问。

　　女经纪回答："要养孩子呀，我和我先生离了婚。"

　　"为什么要离婚？"女子又不客气地问。

　　"不能沟通呀，"女经纪说，"他连和哪一个女朋友约会都不肯告诉我。"

　　我们又笑了。女子心情好，房子又看得满意，最后她说："我想和先生商量一下。"

　　"商量一下也好，"女经纪说，"不过不是每一件事都要老公决定。我减肥，就从来没有征得过他的同意。"女子又笑了，交易即成。

（图/木木）

耳闻目看

□星云大师

韩国的镜虚禅师门徒弟子很多。

有一天晚上，镜虚带了一名女子回到自己房间，立刻把房门关起来，好几天都不打开，二人似乎在房里同居同食。

徒弟满空和几位师兄弟生怕大家知道了不好看，所以一直把守在门外，遇到有人找师父，都说禅师在休息或打坐。

但满空心想这样下去也不是办法，终于，他鼓起勇气去找师父理论。

一进到师父的房间，就看到一位长发披肩的女子躺在师父的床上。满空冲动地对镜虚禅师说："师父！您有这样的行为，还能做我们大众的模范吗？"

镜虚禅师一点儿也不动气，轻言慢语地叫满空上前仔细看女子的脸。

满空当下大惊，原来女子是个麻风病人，鼻子掉了，耳朵没有了，嘴巴也歪了。禅师把她带回来，正用特殊的方法为她治疗。

这时，禅师又轻描淡写地告诉徒弟，他现在要替女子按摩，帮助她活络气血。

满空闻言跪了下来，惭愧地对师父说："师父能看的，我们不能看；您能做的，我们不能做。弟子们愚痴，师父的见解我们竟不能了解。"

一般人对是非好坏的判断，往往过于自信，他们说："我是亲耳听到、亲眼看到的。"其实由于短视，往往知其一不知其二。即使亲眼看到的，也不见得正确；亲耳听到的，也不见得真实。

事情的真相，要深入地去了解；事情的好与不好，自有评断的价值，若因不了解而议论，就是愚痴、短见，就如盲聋之徒一样。🌱

（图/木木）

特别喜欢的东西，可以当药

□蔡　澜

李渔说："一种本性特别喜欢的东西，可以当药。"

人的一生之中，总有一两样偏爱偏嗜的，像文王偏爱用菖蒲腌成的酸菜，曾皙偏爱羊枣，刘伶好酒，卢仝好茶，权长孺好爪，都是一种嗜好。癖嗜的东西，跟他性命相同，如果重病时能得到，都可以称为良药。

医生不明白这个道理，一定要按《本草纲目》检查药性，跟病情稍有抵触，就把它看成毒药对待，事实上这是特殊的病，不可能很快治好。当今，加上报纸上的医疗版，一说什么什么对身体不好，你就什么都甭想吃了。连豆腐也说有尿酸，青菜有农药，鱿鱼全身是胆固醇，咸鱼会生癌，鱼卵更不可碰。内脏呢？恐怖恐怖！吃鸡不可食鸡皮，剩下只有发泡胶般的鸡胸肉了。

当年瘟疫盛行，李渔得病犹重，适逢五月天，杨梅当造，这东西李渔最爱吃，妻子骗他说买不到，岂知他们家就住在街市旁边，听到叫卖，不管三七二十一，买来大嚼，一吃就是一斗，结果病全好了。

这种说法，与倪匡兄的理论完全一致，他老兄说："人一快乐，身体就会产生一种激素，把病医好。"

我也同意，只要不是每天吃，一天三餐吃的话，一点儿问题也没有。别以为满足一时之欲是件坏事，其实是种生理和心理的良药，绝对可以延长寿命。就算不灵，死也死得快乐呀。

个性郁闷、言语枯燥的男人，是没有药医的，因为世上没有一种东西是他们喜欢的，他们本身就是一种传染病，会把你的精力直到吸干为止，凡遇此种人，避之避之。

菜市场中，所谓的不健康食物，多是我们的酷爱。不喜欢肥猪肉，是因为你身体不需要肥猪肉，我年轻时又高又瘦，见到了就怕，当今爱吃，已把它当药。"狐狸精"会炆好三盅东坡肉，凡一切病，都替我治好，她才是名医。

猎神的第一次打猎

□汪采晴

有一位猎人，他不只是狩猎技术出色，野地求生的本领更是杰出。他曾经前往十个人去九个回不来的大雪山中猎狼，并且遇上了大风雪，但是他被困在山上将近半个月后，不仅平安无事地回到部落，更带回了数张狼皮和一头熊，这是他最为人津津乐道的打猎战绩。

猎人有一个儿子，他非常用心地把自己所有的狩猎知识，都传授给儿子。儿子也不负父亲的期望，学得非常用心，加上天资聪颖，因此很快他的知识就赶上了父亲。

本来，部落里的猎人们若遇上问题，都会来向猎人请教，但因猎人的儿子口才很好，反应又灵敏，常常在父亲还没开口前，就先有模有样地把问题讲解清楚。

刚开始，猎人不作声，想顺便看看他学了几成。没想到，儿子的表现不输自己，说起来更是头头是道。于是，只要遇上有人询问打猎的问题，猎人就会让儿子回答，自己则更专心地打猎。

久而久之，儿子因为善于解析在狩猎上发生的问题，而得到族人的尊重。又过了一阵子，他的声名更加远播，连其他部族的猎人们也来向他请教。因此，他得到了"猎神"的封号。

事实上，猎神虽然很会"说猎"，却始终没有打过猎，而他的父亲每次要求他一起去打猎时，猎神总会用"再给我一点儿时间，我还没有准备好""我怕会失败，等我知道得够多了，我再和你去"之类的话来搪塞。

几年后，猎人去世了，猎神终于得自己出去打猎，而此时，他凭借着自己丰富的知识，第一次打猎就选择了他父亲一战成名的大雪山。

可是，他这一去就再也没有回来，等到族人集结起来，上山去找寻他时，才发现，他们心目中的猎神，早因为迷路而饿死在半山腰。●

（图／罗再武）

向东飞，更犯困

□惠　子

　　出国旅游是件快乐的事情，可是当你飞了几个小时，到达其他国家时，很快就发现自己吃不好，睡不好，白天犯困，晚上又异常清醒。这就是时差反应带来的负面影响。不过，时差反应不仅取决于你跨越了多少个时区，竟然还取决于你的飞行方向。当你往东飞时，会比往西飞产生更强烈的时差反应，这时你也更难倒时差。研究表明，当你向东部跨越 6 个时区，需要 9 天的时间来倒时差，但跨越西部 6 个时区，只要 6 天的时间。为什么会出现这样的现象呢？

　　首先我们不妨先弄明白为什么我们会出现时差。在人脑中央深处，有个叫作下丘脑的部位，那里运行着控制其他细胞生物频率的"主时钟"，这一主时钟相当于生物钟的"司令部"，由大约两万个特殊细胞构成。"司令部"的细胞每天会根据光线的明暗，同步一次，向身体发出信号，告知它们现在是白天还是黑夜，来调节身体各器官、各组织的昼夜活动。但是跨时区后，会打乱生物钟节奏，迫使这些细胞重新适应新的日出和日落周期。在这一调整期内，我们就容易头晕和疲劳。

　　研究者发现，虽然说昼夜循环是 24 小时，不过，细胞同步所需的时间却要更长一点儿，它们需要大概 24.5 个小时，甚至更长的时间。当你向西旅行时，一天的长度增长，有利于给这些"司令部"的细胞更多时间，来慢慢实现同步。但如果你向东旅行，一天的长度缩短，这些细胞得在更短的时间内同步，会增加同步难度。

　　当然，由于每个人身体素质不一样，每个人的生物钟也会不太一样。一些人会很轻松地应对时差反应，另外一些人会觉得这是一个沉重的负担。不过，对于每个人来说，减小时差反应的方法差不多一样，你可以人为地调节你的昼夜节律，使之与你要去的地方同步，这样就可以轻松解决时差问题了。🌰

（图／木木）

我恰恰喜欢这样

□余秀华

一朵菊花，可以看到太阳和太阳来回的过程，因此我们具备了热爱万物的心肠。也许宇宙不止一个，它以不同的形式躲藏在万事万物里，能看见的眼睛是慧眼，能感受到的心灵是慧心。我们的一生不过是从愚昧到智慧的行走过程。

一朵菊花也足以看透人世苍凉：准备了那么久，不过几天的花盛之期。如同一个人刚刚知道打开生命的方式就已经老了；也如同一段爱情，刚刚给出甜蜜就已经厌倦。时间匆忙，我们在无限的无序里，好不容易找到一种明确，而这明确似乎还不够充分就已经模糊。所以世界的样子就是你眼里的样子。除此以外，没有其他可以说服自己的了。但是我恰恰喜欢这样。

我走得很慢。野菊花也凋谢得慢，它们对急匆匆的绽开已经有了悔意。"天色阴沉就是赞美。"这句话可以延伸出无数类似的语句，但是这一句独得我心。大地上的每一天、每一种植物、每一次绽开和枯黄都是赞美：赞美被看见，赞美看见了的人。有时候我觉得活着本身就是对生命的赞美，残疾本身就是生命的思考。思考的过程中当然允许痛苦。而孤独是一个人对自己最崇高的赞美。

村庄寂静，一些人从身边经过，她们曾是泼辣的小媳妇，现在她们的身边有了女儿的女儿，她们是奶奶辈了。小小的孩子跌跌撞撞地在花丛里挪步，她们小心翼翼地跟在身后。人老得无声无息，也老得细水长流，而衰老的哀伤也就细水长流，没有轰轰烈烈之感了。

在这些赞美和被赞美的事物里，我总能感到浩大的哀伤。这哀伤因为大而自行稀薄，它让人空余出力气把余下的日子过完。我们不能用生命的虚无来体罚自己，它就应该琐碎到柴米油盐、鸡鸭猪狗。每一张蜡黄的脸都应该获得尊重：她们承担了我们没有说出的部分。🌿

（图/张翀）

需要

□安妮宝贝

　　在网上定期订购书和猫粮。在楼下的小超市买矿泉水、香烟和食物。有时收到快递和包裹。有人来电话，上门送货。通常都是陌生的男子，身上裹着户外冷冽的风尘气味。性格活泼的男子，会主动攀谈几句。这些最常见到的人，这些琐碎事情，证实着一个人跟世俗生活所保持的关系。

　　他们使我的生活便利，通畅，达成目标，是不可缺少的重要组成部分。使我困惑的始终是情感关系。比如有时候想找一个人说话，查遍电话通讯录，却总是选不到那个人。该与之说些什么呢？自己也许并没有什么话可以告诉对方，对方告诉的一切，未必引起共鸣和兴趣。我是个对自己都无言以对的人。

　　如此之长的沉默及无言。有时会对着镜子活动脸部肌肉，有时尝试自言自语。即使是一个人，也要张开口，哪怕只是对自己说话。

　　经常持续很多天手机静音，拿出手机的时候，便知道有些电话来过，也知道有些电话来得没什么意义。真正需要找到我的人，会通过一切途径来寻找。但事实上，这个世间，并不存在非找到不可的人，或非做不可的事情。

　　年少的时候并不是这样。那时唯恐世界会把自己遗忘，希望接到很多电话，见到很多人。因为渴望与别人建立感情的联系，甚至在梦中，也会梦见自己打开信箱，涌出一堆一堆的来信。事实决定，人越年长，越倾向现实的关系和沟通，丧失与人联结感情的兴趣和能力。或者说，成年人的标志是，他开始发现自己在情感上逐渐不需要别人。

　　当人逐渐明白生活的一部分真相，并且不再对之眼花缭乱，他会因此逐渐清楚自己的需要。🌿

（图/曹黑黑）

蓝色谎言

□袁　越

　　心理学界通常把谎言分成三类，分别以白色、黑色和蓝色来代表。小孩一般在三岁时开始学会说黑色谎言，也就是专门利己、毫不利人的谎言，比如"是小狗把杯子碰掉的"，或者"是他先打了我"。小孩之所以会这么做，是因为他们终于意识到父母无法看出他们心里在想什么，于是，人类的自私本性开始起作用了。

　　小孩长到七岁左右的时候，开始学会说白色谎言，也就是毫不利己、专门利人的谎言，比如"你的衣服好漂亮"，或者"我喜欢吃你做的饭"。如果一个小孩学会了撒这种善意的谎，就说明他真的长大了，知道在某些情况下不妨撒个小谎，以此来维系某种人际关系。

　　小孩再长大一些，才能学会说蓝色谎言。这种谎言的特点就是既利己又利人，只不过这一次利的只是少数人而已。比如为了让本班级在体育比赛中获胜，很多孩子不惜撒谎，隐瞒本班代表队在比赛中作弊的事实。

　　加拿大多伦多大学心理学家李康调查过7到11岁年龄段的孩子，发现他们年纪越大，撒的蓝色谎言就越多。李康教授认为，这一结果说明，蓝色谎言与一个人社会阅历的增长有关。在他看来，人类是一种社会性很强的动物，天生就知道应该如何和别人打交道。但与此同时，人类还有很强的部落属性，我们从漫长的进化中学会了抱团，知道如何团结好友来争夺有限的自然资源。蓝色谎言是部落或者集团之间相互争斗的最佳武器，撒这种谎的目的就是维护小团体的利益，即使得罪其他大部分人也在所不惜。

（图/小栗子）

死神的花园

□ 汪采晴

有位刚刚失去了孩子的母亲，到处寻找能够让孩子起死回生的方法。在一座深山的黑暗森林里，她把自己所有的财产送给了一位老巫婆，祈求让自己的孩子再次活过来。老巫婆拿出了一张地图给她，说："你按地图的指引，就可以到达死神的花园，你去求他吧，是他带走你的孩子的！"

母亲问："我该怎么让他还我孩子呢？"

巫婆露出一个神秘的微笑，说："死神的最爱就是他花园中的花，如果你威胁要摘下他的花，他说不定会就范！"

于是，悲痛的母亲出发了，她历经千辛万苦来到死神的花园，发现死神是一位长相严厉的老人，他正在替一株新种下的花苗浇水。

她立刻上前，扑倒在死神脚前，苦苦哀求他把孩子还她，但不论她如何哭泣，死神就是不为所动，依旧细心地照顾眼前刚种下的花苗。终于，几近疯狂的母亲突然一个大步向前，一手握住那株刚刚种下、还很脆弱的花苗，威胁说："如果你不把孩子还给我，我就要把花拔掉！"

死神平静地看着她，开口道："如果你想让另外一个母亲也和你一样痛苦，就拔掉它吧！"悲痛的母亲愣住了，讷讷地说："另一个母亲？"

"这个花园里的每朵花，都是一个世间的灵魂，如果你拔掉了花，只是让那一个灵魂在人世凋落。这株花才刚种下，花的主人才出生没多久，你拔掉了花，只会让刚刚因为得到孩子而喜悦的母亲，陷入和你一样的痛苦中。"

悲痛的母亲回想起孩子出生时的喜悦、陪伴孩子长大的快乐，到失去孩子后的痛苦，她松开了手，说："太痛了，我没办法让另一个母亲也承受这种痛苦。"

死神见她放下了手，微笑着说："你救了自己的孩子一命，你刚才要摘的花就是你孩子的新生命！"

（图/木木）

甜太简单，回甘才有味

□蒋　勋

　　我小时候完全不吃苦瓜，不知道为什么到这个年纪，越来越爱吃苦瓜，而且是那种客家腌苦瓜，还带着臭味，然后掺些小鱼豆豉。我忽然发觉，我现在不爱吃甜的，我觉得甜对我来说，太简单了。

　　还有一种味觉叫"回甘"。我们会说这个茶好好喝，有"回甘"。回甘的意思是，一开始有点儿涩、有点儿苦，可是慢慢地从口腔生出一种淡淡的甜味。

　　人生是经过这些涩味以后，才有所谓的甜，而那个"甜"不等于糖的甜，它不是单纯的甜味，而是人生经历很多的复杂的变化。

　　有一次去绍兴，朋友请我去吃饭。他说："你没有听过'三霉三臭'，你不配来绍兴。"这个很狠哦，等于说人家要来做客，还要通过那个三霉三臭的考验。那个发霉的酸菜干，真的很臭，闻到以后会想吐的。

　　我们在绍兴被他们灌得酩酊大醉，吃了三霉三臭之后，晚上我一个人在街上走。

　　我走过鲁迅纪念馆、蔡元培纪念馆、秋瑾纪念馆，走过她被砍头的那个广场。我不晓得这个小镇记载着多少近代历史的记忆，好像人被压抑、发霉的记忆，最后在味觉上展现出来。

　　通过霉和臭之后，还要存在、还要活着、还要有生存下去的力量。我们现在再去读《阿Q正传》这样的书，感觉那种生命好像真的有发霉的感觉。可是在那样的环境下，我们还要存在、还要活着，还要自己想办法，去通过那个臭、那个腐烂，重新生长出来。

　　也许因为我们在这么幸福、安逸的环境中长大，对甜味的感觉很多，所以对苦味和臭味不太能感受到。在台湾因为环境很好，有很多苦味和臭味被降低了。

　　有一个法国朋友跟我说，其实古老的文化最精的品尝是臭味，臭的品尝。我们会发现苦也好、臭也好，都是生命里的卑微、生命里的哀伤，都是生命里痛的记忆。

（图/曹黑黑）

盲鱼

□晓 月

我家养着一群不同颜色的锦鲤，数月前鱼缸中竟然爆发了一场"战争"。

当时，我从水族馆买来四尾不同颜色的锦鲤放进鱼缸。很快我就发现，这几尾新来的锦鲤开始欺负老锦鲤，特别是那尾个头较大的红锦鲤，不仅老是追赶噬咬老锦鲤，而且不让老锦鲤吃食，弄得整个鱼缸如战场般"火药味"甚浓。

这场"战争"历经数日才渐渐平息，新老锦鲤才开始和平共处。一尾瘦小些的老红锦鲤被啄瞎了眼睛，成了盲鱼，不过，它却奇迹般地活下来了，倒是那尾最凶悍的新红锦鲤几天后因为抢食过多，消化不良而死。

当时，我觉得盲鱼很难再活下去，准备将它处理掉，但它敏捷地东躲西藏，坚决不肯落入我的网袋。我只好收手，看它还能活几天。

几个月过去了，盲鱼竟然还活着，而且越活越自在，越活越有精神。我经过一段时间的仔细观察，发现它找食的方法很特殊。当我将鱼食投入鱼缸，健康鱼目标明确，蜂拥而上，张嘴吞食。盲鱼看不见食物在哪儿，只好张大嘴巴，像拉网一般满鱼缸搜索，它总能找到漂浮在角落的同伴们吃剩的食物。我只要看到它单独找食，就会将颗粒状的食物投到它张开的嘴里，给它开个小灶。吃饱了，盲鱼就跟健康时一样，与其他同伴游来游去，还能上浮下沉，而且不会与同伴相撞。看上去，盲鱼仍然可爱，能吃饭能运动，加上主人始终保持鱼缸的清洁，这大概就是它能活下来的原因。

其实，不论动物、植物，还是人，都有可能遭遇意外而不幸残疾，但遭遇不幸并不意味着生活就到了末日，只要乐观顽强，依然有继续幸福生活的能力。

（图/鹿川）

可以不服输，但要会认输

□ 晚　睡

美剧《摩登家庭》中菲比和克莱尔一家有三个孩子，大女儿和小儿子都学业平平，尤其是大女儿，标准的美国女郎，时髦漂亮肤浅，同时又大脑空空，经常被学习刻苦、成绩优异的二女儿嘲笑。二女儿是全家的骄傲，她一丝不苟地学习，从无懈怠，假期还出去做义工，就是为了有一天能考上哈佛。结果哈佛拒绝了她，她完全崩溃了："十年成绩全优，暑假去盖房子，每天拖着大提琴去上学，写完美的论文，都为了什么？"

她对姐姐说："从小到大我都试图做到完美，结果得到了什么，我和六千个傻子在这片空地上。"这暴露了她内心的恐惧，是害怕变得和所有的人一样平庸，和她所看不起的姐姐一样。姐姐是怎么回答的？她并不觉得自己受到了羞辱，她说："你知道吗？我觉得这对你来说是件好事。"姐姐还说："你一定会考上其中一所傲慢自大的学校

的，偶尔你可能会考第二名，或第四名，甚至第十名。但你会振作精神，也许涂点儿唇膏，继续向前走。"

世间从无完美。完美一直期待着被时间打破，而一旦将完美打破，解脱和自由就会随之而来。

姐姐深谙这个道理，这个上着社区大学的平庸姑娘给了妹妹一个最深刻的人生提示。谁比谁更有智慧呢，不成功者也有自己独特的心得。

不服输，是挑战自我，会认输，是正确接受自我，看到世界更广博的一面而又保持谦卑之心。阿加莎·克里斯蒂说过，"从对日常生活的观察来看，我可以说，没有谦卑的地方就没有人类"。拥有了谦卑之心的人类，对成功这件事看淡一些，才能活得更踏实和快乐。

（图/小栗子）

美在天成

□ 王　伟

　　有一段时间，我迷上了观看摄影展，只要听说哪里举办活动，再忙也要抽空去一趟。

　　最让我赏心悦目的，莫过于微距摄影了，一片草叶、一只瓢虫、一条小鱼，甚至一朵小雨花，都能拍得妙趣横生。然而，微距摄影并非每个摄影师都能信手拈来，难就难在不仅需要高超的拍摄技巧和异于常人的灵感，很多时候还要经历漫长的等待，每张照片都是可遇不可求的精品。

　　记得有这样一张照片，曾经获得《国家地理》杂志全球摄影大赛自然类一等奖，也是我印象最深刻的：一只青蛙静坐在树枝上，抱着树叶仰望天空，洋洋洒洒的雨丝从身旁飘落。这幅作品画面唯美，生动有趣，精妙之处在于青蛙在雨中如人饮水，冷暖自知。可是，有位摄影发烧友告诉我，这张照片就是摆拍的，根本不值一提。我很是惊讶，青蛙动作敏捷，难以近人，怎么可能乖乖地配合拍照呢？他不以为然地

说，为了做到这点，印度尼西亚摄影师弄瘫了青蛙的脊椎，剥夺其自由行动能力，再用粘胶将青蛙的四肢固定在树枝和树叶上。若是放大照片仔细地看，不难发现青蛙神态疲惫，腿上还有受伤的痕迹。拍完照片没多久，这只可怜的青蛙就被折磨致死。

　　后来，有人邀请我观看鸟趣摄影展，还带给我一本制作精美的宣传册，封面上万鸟齐飞，遮天蔽日，场景壮观热烈。我多留了个心眼，私下里打探照片的来历，得知摄影师为了拍出理想效果，竟然燃放炮仗惊飞鸟群，结果许多鸟窝就此被亲鸟放弃，里面的鸟蛋再也没有孵化出来。

　　我很怅然，万物自有定律，美，贵在天成，发自生气和灵动。如果美非要以伤害作为代价，我宁愿生活在真实的丑陋中，与暴力炮制出的美离得越远越好。🔖

（图/罗再武）

孤独就是力量

□潘石屹

台湾现在有一类人叫作"茶人"，他们是专门研究茶艺的。

一天，陈文茜请我去茶室喝茶，我心想，茶室一定很讲究。果然，在这茶室中有五个不同的室内设计师设计的空间，风格迥异。我们在其中一个茶室坐下，一位很专业的茶人为我们沏茶。他们用的壶，是日本江户时代生铁铸成的茶壶，旁边是生铁铸的火炉在现场烧泡茶用的水。桌子也很古老。茶人的动作很慢，给我们沏完一杯茶后就闭上眼睛，也不跟我们说话、聊天。我跟陈文茜坐在这样的茶室，也不敢说话。陈文茜是一个喜欢热闹的人，在这里也分外安静。看着这位茶人每次给我们倒完茶后都在闭目养神，我就很好奇地问他：你的职业是什么？这位茶人说，他的职业是外科医生，做茶人只是他的业余爱好。说完这句话后又慢慢闭上眼睛。茶室内很安静，我想这位茶人也像张颐武说的是喜欢孤独的吧。

在一次佛教论坛上，认识了一位章嘉活佛，他告诉我，他第一次闭关时要闭关100天，在这100天内不能出门，不能见人，也不能看书，别人给他做好饭就放在门口。他一个人住在一个小木屋内，房子后面有个厕所，闭关到七八天的时候，就像疯了一样，每一个小时都很难受，但他不敢出去，因为他是活佛，活佛居然坐不住，要出去的话就太丢人了。后来他就坚持在这个小屋子里，一个月后，心情安静下来，两个月后他感受到了从未有过的喜悦，觉得一切都可以没有，有自己就足够了。他告诉我，不能让外面的东西影响内心智慧的发挥，只有在安静时才能够把内心的智慧力量、快乐调动起来。

（图/木木）

青烟袅袅

□俞敏洪

　　岳母突发脑出血，送医院抢救回来后就瘫痪在床，并且失去了语言表达能力。岳父便义无反顾地辞掉工作，回到家里一心一意照顾老伴。

　　精心照料持续了整整十八年。在十八年的六千多个日子里，除了到周围的菜市场买东西，岳父没有离开过家门一步，没有出去旅游过一趟，也没有睡过一次完整的觉。十八年里，我们看着他从走路生风的军人变成了一个步履蹒跚的老人。一年又一年，他们两个人成了一个不可分割的整体，在苦难中变得谁都离不开谁，互相依靠，和死神进行着坚忍不拔、艰苦卓绝的抗争。

　　岳母再次被送进医院，医生做了全面检查后，说老太太能活到现在是个奇迹。不过，这一次奇迹没有再次发生。得到岳母病危的消息，我疯狂地往家里赶，但还是没来得及。回到家时家里已经设置成了灵堂，老太太的遗像，一张五十多岁时照的面带微笑的照片，放在灵堂的中央。在对遗像三鞠躬之后，我走进岳父的房间。正瘫坐在那里目光痴呆的岳父看到我进去，颤颤巍巍地站起来迎接我。我们的眼泪同时在眼眶里打转，在他的眼神中我看到的不是十八年辛苦后的解脱，而是一种失去依恋的绝望，一种亲人永别后彻底的哀伤。岳父给我让座，一边说没事，一边坐下来给自己点烟。由于双手颤抖，点了三次都没点着。我接过打火机帮他点着烟，自己也拿起一根烟点燃。岳父说："你不是不抽烟吗？"我说："爸，我陪你抽一根。"岳父说："你不要抽，这样对身体不好。"说着伸手把我手里的烟拿过去，掐灭在烟灰缸里。我们俩一时都没有了语言，呆呆地坐在那里，看着他手里的香烟散发出来的青烟在房间里袅袅上升。🌲

（图／木木）

灵猴的懊悔

□程　刚

　　新西兰山林里有一种灵猴，这种猴与其他种类猴子一样，都是群居生活。

　　灵猴群落里有森严的等级制度，猴王具有至高无上的地位，一般有食物都是猴王优先享用。可总有这样的猴子，当树上掉下一个苹果的时候，别的猴子都不敢碰，只有它跑上前，三下五除二把它吃掉。

　　群猴看到它吃掉了苹果，瞬间炸开了锅，都对它怒目相向，这只猴子突然间意识到了自己的错误，抓脸打滚撞头，上蹿下跳，看上去十分懊悔，大家也没有追究，反而有一些老猴跑上前，将它安抚下来。

　　可没过多久，这只猴子突然间会遭遇困境，因为这个群落将它拒之门外，再也不允许它融入这里的生活。不久后，这只猴子只能孤零零地离开，再过一段时间，死在一个无人的角落里。

　　难道这是群落在追究它的责任吗？可在它犯错误的第一时间，大家极其愤怒的时候，都没有如此排斥它，而是在老猴的带领下接纳了它，可过了一段时间后，怎么就变得这么糟糕了呢？

　　经观察发现，这是因为这只猴子并没有知错就改，当它第一次抢食后不久，又会故技重演，虽然依然表现出强烈的负罪感，可猴群对它却越来越反感，接下来它再犯的时候，便不会再原谅它了，而是直接将它赶走。

　　贪吃的灵猴一而再、再而三地犯错误，最终害了自己，这给了我们人类很好的启示。懊悔，第一次是可贵的，第二次就会贬值，第三次便一文不值。

（图/曹黑黑）

摧毁一个人可以有多简单

□ Lachel

最近，在知乎看到一个问题：如何才能摧毁一个人？

有一个回答，很有意思。它说：无条件给他许多东西，然后全部收回。

这个回答很妙。

因为，它涉及人性深层的一个机制。

2010年，《时代》周刊刊登过一篇文章，报道了经济学家 Roland Fryer（罗兰·弗莱尔）的一项实验结果。

Fryer 教授在基金会的支持下，花费630万美元，针对18000多名来自低收入家庭的学生，制订了一个"奖励计划"。他规定：参与计划的学生，如果每次测验成绩优秀，可以得到20~50美元不等的奖励。

按照这个计划，顶尖的学生，一年累积下来，可以得到2000美元的奖金。

结果是什么呢？几乎所有参加实验的学生，学习热情和态度都有了明显改善，其中部分学生的成绩更是进步明显。结果似乎非常光明。

但是，当实验结束之后，后续的跟踪发现，这些学生的学习热情急剧降低，甚至跌破了实验前的水平，出现了缺勤、厌学、成绩下滑等现象。一项旨在提高学生能力的计划，竟然造成了反效果。

为什么会这样呢？

答案非常简单。

在这个实验中，长期以来的金钱激励，已经把这些学生的期望值拉得非常高。他们建立起一个回路：考试成绩好，就能得到奖金。

而当这个回路被打破，他们所面临的，就是跌入深渊的失望。这种失望所带来的负面情绪，要远高于激励所带来的正面情绪。

这就是"期望"的力量。

（图／木木）

主要靠自己

□王　路

在日内瓦湖畔的瑞法边界，欧洲核子研究中心会集了来自全世界几十个国家的数千名工作人员。

一个身材不高，头发泛白，身着褪色防风衣和旧毛衣的老人斜挎一只手提袋，用中文向一群东方游客介绍质子对撞机的基本原理。介绍的内容都是高中水平的物理常识，只是游客们早已忘了，会反复地问一些很幼稚的东西，老人很有耐心，不厌其烦地去做 ABC 层面的讲解。看起来十分像老导游。

和导游不一样的是，老人讲着讲着就会兴奋起来。兴奋的时候，就会眯起眼睛，面露欢喜。而导游在重复讲过上千遍的东西时，总会面露倦怠和慵懒。这就让人忍不住低头去看老人脖子上挂的工牌，想知道这位谈起宇宙大爆炸就充满欢喜的人到底什么来头。

老人本来正闭着眼睛沉浸在欢喜当中滔滔不绝，没想到来访者只是微微俯身去偷瞄一眼，就立刻被他捕捉到，马上撩起工牌："你看我？我叫钱思进，赵钱孙李的钱，思想的思，进步的进。"语速飞快，报完姓名，又继续投入质子对撞的介绍中了。

来访者偷偷躲到人群后上网搜，震惊之余，忍不住悄悄问老人："请问，您父亲是钱三强教授吗？"这个被问过无数遍的问题，实在令老人很烦，但他并没表露，只是飞速回应一句"主要靠自己"。介绍完对撞机，参观者要离开了，老人走在最前面，在雪地里倒退着小碎步向观众介绍。人们都上车了，老人挥挥手说，我自行车在那边，就转身飘然离去。🍂

（图／朱少伟）

恋手

□蔡　澜

　　黄伯伯已经九十多岁了，头虽秃，但身体健壮。衣着随便，永远是白衫黑裤，看起来像个退休的穷书记。每天早上散步九公里，人家见到跟在他身后的那穿白制服司机驾驶着的那辆劳斯莱斯，才知道对他印象错误。和黄伯伯在一起聊天，发现每次有少女走过，他的视线不落在她们的脸或胸，只是紧紧地盯着她们的手。

　　有天早上忍不住问他："为什么？"

　　这是黄伯伯的故事：九岁时父母双亡，被迫去卖甘蔗、橄榄。没钱念书，偷窥私塾窗口，整本《千家诗》硬背了下来，虽然已熟悉方块字，但还是要靠劳力为生，演傀儡戏、唱南管，甚至被雇抬死人棺材，赚了几个钱当卖货郎，他每天挑了两个大木箱，走三乡六里，接触过百家少妇，也见过千家少女。

　　一天，我给雷击了，我看到天下最美丽的一双手！

　　我心里想：要是她肯让我摸一摸手，

那我宁愿早死十年！

　　她忽然间好像了解我的心意，转过头来向我微笑答谢。只能在章回小说里出现的事，发生在我身上，但是贫富悬殊，亲事无法提起，我永远不能摸到她柔美的双手。

　　我一气之下去了南洋，二十年奋斗下来，赚了不少钱，我又不死心地跑回乡下看她。

　　"鸡棚里哪有隔夜蚯蚓？"老朋友说，"她早就嫁人。如今不生孙，也应生子！"

　　我失望之余，想回南洋，但还是忘不了那双手。散了些钱，调查到那少女的住处。真是有缘，她刚好在井边洗衣，一见到我，也很高兴地迎上前："你不是去了南洋发财吗？怎么到现在还是白衫黑长布裤的？"

　　她一面说一面用围裙抹着她浸湿了的双手。我一看，天啊！已浮上了杂乱的青筋。我不相信自己的眼睛，我也不相信已经没有办法再看到那双美丽的手！到现在，我还一直在找。有一天，我一定可以找到。◆

（图／木木）

第七个馒头

□周鸿祎

　　我经常给同事讲"第七个馒头"的故事，在此分享给大家。

　　有个老人饿坏了，一连吃了六个馒头还没有饱，当他吃下第七个馒头时，终于说了声："我吃饱了。"于是，好事者开始研究这第七个馒头的做法和用料，想从中挖掘出让老人吃饱的秘密，却忘记了他之前吃下的那六个馒头。

　　如果没有前面的六个馒头，第七个馒头不可能让老人饱。

　　我特别反对以成败论英雄。曾经有人向我抱怨谷歌公司的很多产品做着做着就没动静了，认为谷歌是在瞎折腾。我对这个观点并不认同，谷歌确实是在折腾，但绝不是瞎折腾。能折腾是卓越的产品经理的必备素质之一。创业本身就是探索，时代在变，我们不可能几年、几十年都只做一种产品，所以360做免费杀毒、做手机、做手表……一直在不断地折腾。

　　很多时候，你做的事情不一定当下就有结果。那些创新成功的公司其实并不都是等到市场无比火热后再闯进来的投机者。真正处于风口的投资者，一定是在寻找风口的过程中慢慢长出了翅膀。风起时"好风凭借力，送我上青云"，风停时凭借自己的力量飞得更高、更稳，甚至逆风飞扬。

　　华为手机近两年在市场上的表现可谓惊艳绝俗，后发制人。不为人知的是，任正非也是个喜欢折腾的人。

　　华为公司早在2003年就成立了手机终端部门，至今已在行业内拥有丰富的沉淀和积累。

　　只有厚积才能薄发，如果没有反复折腾带来的经验积累，仅靠营销技巧打天下，无异于沙滩上的城堡，看似雄伟磅礴，实则缺乏根基。殊不知，营销的壁垒是最靠不住的，一旦这些技巧大家都学会了，企业的核心竞争力很快就会失去光芒，一个浪头打来便会踪影全无。

（图/曹黑黑）

空调洞里的麻雀

□吉春来

2015年，搬入这栋建于1992年的六层砖石结构老楼，红砖灰墙撑起满满的时代感。记得装修时，发现主卧的空调孔洞被一团干草填塞着，工人师傅刚要捅通时被我制止了，从农村出来的我敏锐感觉这可能也是一户人家。细细观察，果不其然，这是一户刚刚安巢不久的麻雀小家，穿越孔洞草团微弱的自然光印证了我的判断。

为了解决这个问题，我们和刚上小学一年级的女儿一起进行了研究、讨论，并全票一致通过了放弃空调的决定。

入住后，我们已经和这家精灵般的邻居和谐相处了三年。春初或夏日，卧室过冷过热时，我们就在门口放上电风扇，将客厅的空调风引入卧室，毕竟，北京的停暖期和三伏天还是很煎熬的。

麻雀，确实是口碑中的家雀。记得最初时，它们在家中无人时，从窝里的草缝间钻进房间当我家的看守内阁，当然也在床上、地上留下了它们的痕迹（此处可脑补），我在忍无可忍时用女儿的一个彩泥盒子从屋内堵住了洞口，完美宣告了看守内阁集体下野。

我家客厅的窗外侧墙是这户精灵的家门。闲暇时，沏上一壶茶，站在窗前，一边品茗一边看着它们进进出出，或邀朋呼友、或衔食叼草、或比翼双嬉……个中乐趣如杯中之红茶绿液，回味无穷。

今年春天，我的邻居家里应该是添丁进口了，从三月开始叽叽不休，四月五月更是鸟声鼎沸，尤其是婴童之雀，嗷嗷待哺让人休息难宁。进入六月，声音渐息，我分析应该是雏鸟羽翼渐丰，随父母去振翅天穹了。

每日四时二十分左右，窗外一声雀鸣顿时唤起鸟语千言，它们开启了每一次天幕，将光明、希望迎入到这个尘世间……

（图/麦小片）

浪漫

□蔡药药不吃药

我在想，什么是浪漫：

一杯热牛奶，打出细腻泡沫，当你喝一口，会长出白胡子。

两片苏打饼干，涂上浓稠酸奶在中间，最后装点上细碎的黄桃果粒，摆在你的电脑旁；等你随手取来。

三颗鸡蛋抽成蛋液，用筛子筛去泡沫，蒙上保鲜膜蒸，就是最细腻的鸡蛋羹，记得出锅时用热油爆香一点儿小葱和红椒末，蛋羹上先浇一点儿生抽，随即倒上滚油，端到晚饭桌上，你会拍手叫好。

四朵香菇，四片雪花肥牛，一同入滚水，这时再下一小把龙须面，碗底还需要一小勺猪油，热而丰厚，给你当作降温早上的鼓励。

五常米煮饭，上面放一条老家寄来的香肠同焖，饭熟香肠也熟了，油脂浸入饭粒里，只需要再烫一碟蚝油生菜，你就能吃完这锅里的米饭。

六只鸡翅，用黄酒、酱油、孜然、花椒粉一起腌上大半天，等晚上你看球赛的时候正好丢进空气炸锅，十五分钟后就是一道佐酒最好的香炸鸡翅。

七颗草莓蘸上巧克力，轻轻递到你嘴边，甜。

八两明虾拿来白灼，但醋碟子要精心，姜丝用料酒滚过，夹起来放进香醋里泡一泡，最后滴几滴豉油，你说这样最好吃。

九块麻将牌大小的五花肉，先过油煎酥了外皮，再配上小土豆一起红烧，八角桂皮丁香搁得足足的，老抽上色，啤酒调味，再放些大蒜瓣进去一起炖着，你说这样用来夹馒头倒是挺有趣。

十只菜肉云吞，吊一点儿高汤来煮，加上虾皮紫菜香芹碎，鲜是鲜的来，你会对我挑一挑眉毛。

让你说好吃。

这就是我能做到的浪漫。🎤

不要被自己打败，不要被害怕打败

□柏邦妮

　　我十五岁的时候，发生了一件这样的事情。

　　我从小体育就特别不好，有自身条件的问题，有后天的心理阴影，总而言之，我超级不爱运动。各种体育课都是能躲就躲，运动会，我一直负责写稿子上去念，从来不出力。

　　初三的运动会，班主任说："喂！你这个从来没有参加过运动会的人，必须参加一次。做什么呢？你去跑长跑吧。"我应承下来，练习了几次，决定去参加运动会。

　　我现在还记得很清楚那个场景。因为是长跑，大多数是凑人头，跑到一半，已经有一多半选手溜掉。我是最后一名，落后别人不知道多少圈，但是我还在跑。而且，一边跑，一边大声给自己喊加油，喊得特别大声，声震操场。

　　那个场景，就是一个十五岁的女生，扎两个马尾辫，个子很小，跑得很慢，但是一直在跑，一边哭一边跑，一边在大声喊："加油！加油！"

　　我跑到后来，全场震动，很多人围观，一半也许是感动，一半也许是好奇或者什么吧。总而言之，我跑到终点的时候，肺感觉要炸掉，扑到好朋友小微的怀里，远远地听见很多人为我鼓掌。

　　这几天，写剧本很不顺利，又崩溃了一次。我发了几条微博，写道：不要被自己打败，不要被害怕打败。写下去，写下去。只要没人叫停，你就写下去。

　　今天，我突然想起那个十五岁一边跑一边给自己加油的女孩。二十年过去了，我居然还是那个又狼狈又硬挣的女孩，一点儿长进都没有啊，但是这就是我。

　　想到这里，我突然释然了。

（图／木木）

四种人

□梁凤仪

人有四种，各人检视得失，多少知道自己属于哪一类。

第一种：不可以共患难，亦不可以共富贵。即是说，亲友有难，他决不承担，但周围人等风生水起，他亦不屑一顾，总之，我行我素。

第二种：不可以共患难，但愿意同富贵。总之，不肯挨义气，却喜欢在人家顺遂发迹之时，好歹沾一些光彩或好处。

第三种：可以共患难，不愿意同富贵。亲友遇上困扰，生活潦倒，不管是出自后天教养，有恻隐同情之心，抑或天生仁厚，对蒙尘落难者诸多关照。一旦旁边的人叱咤风云，便下意识地觉得不可与之往还，避免叨光骚扰。

第四种：既能共患难，又可共富贵。完全从容不迫，认定了亲人是亲人，朋友是朋友，一律愿意做程度不同之有福同享，有难同当。

当然是第四种人难度最大，而最应该得人敬重爱戴。事实上呢，社会上怕是各家自扫门前雪的人占多数，憎人富贵嫌人贫者亦不少。知识分子呢，最易在得意时大方，失意时自卑。

相信人人都希望自己认识的人是第四种。然而，扪心自问，自己对他人，又是否肯雪中送炭、锦上添花呢？

（图/曹黑黑）

路宽路窄在一心

□冯 仑

有一个人欠我的钱，他清华毕业，学理工的，他是我碰到的债务人里面最真诚、最好的人。十几年前他刚毕业，学做生意，结果被人骗了，我的债务人叫我，我也随叫随到。同时，他坦白，他还有什么资产，他都带我去看，绝不隐瞒。他因为破产，弄得离婚了，确实很惨。但他说，他有生之年，只要活着，这个债他都认，这让我很感动。他每年都还我几十万，但是架不住利息在涨，一直得还。

所以，后来我跟安排追他债的人说，如果本金还完了，利息就算了。可他认账，每次都还一点儿，他还在做生意，因为这笔债和之前受骗的经历，他会警惕，把事情处理得更好。

虽然他媳妇跟他离婚了，但总有姑娘喜欢他，这样一个诚信的人，一定会有人爱他，他也不缺快乐。

我看过太多的事，知道太多历史和故事，去过世界太多地方。我上过山，徒步走戈壁，骑自行车旅行，体力、精神上所有延展开的，我都了解。加上我一贯把丧事当喜事办，所以，也没有什么特别的事能在我这儿停下来。再不好的事，总能找到一个对照，这件事历史上怎么样，人家怎么处理。要有一个宏观的、大历史的格局。佛的"大肚能容"是容得已经很多了，才能再容，我是个人，但理解这个原理，我已经容得很多了，再来一个也不在乎。

很多事情都是这样，知道一个有逻辑的结果，就不会紧张和恐惧，也不会郁闷。人之所以会痛苦，很大程度上是你的经历、经验和思维与现实的一些事件是拧巴的，这需要理性，需要历史，也需要体验。历史和哲学可以让人的心变得巨大无比，因为历史是讲永恒，时间上的永恒；而哲学讲无限，范围的无限。有了永恒和无限，眼前的一切都是浮云，眨眼就过去了。心胸开阔了，眼界才能开阔，才能做到治大国如烹小鲜。

（图/罗再武）

伊卡洛斯的坠落

□张佳玮

荷兰大画家勃鲁盖尔有一幅奇妙的画叫作《伊卡洛斯的坠落》。

伊卡洛斯的故事广为流传：希腊神话中的少年，和父亲用蜡在身上粘了一对自制翅膀，飞离克里特岛。因为离太阳过近，粘住翅膀的蜡熔化了，伊卡洛斯跌落海中死去。这是人类史上最初的飞翔悲剧之一。

然而，勃鲁盖尔的画里是另一回事。在这幅画里，最先引人注意的是低头犁地的农民、田野与马驹，暖色调的衣裳在整体碧蓝的画里尤其显眼。接着是山坡上放羊的牧人，双手抱怀，拄着一根木棍，望着左侧的天空。葱茏树木，一片海岸，仿佛田园牧歌。下面是大海，张帆的大船浩然航行，正出海湾向远方海平面驶去。风景如此美丽清澈，但是，作为主角的伊卡洛斯呢？你得非常细心，才能看到画面右下角，在一片碧蓝海浪里，阳光照着两条即将淹没的腿，以及海面散落的白色羽毛。那就是伊卡洛斯。他刚企图追求人类飞翔的极限，刚被太阳烤化了翅膀，刚坠落到大海里去。

然而农民低着头犁地，牧人悠闲地望着远方，没有人看见从天空落下的这个少年，没有人知道这一幕地道的希腊悲剧情景。整幅画太宁静了，碧蓝，澄澈，冷静，娴雅。马在耕地，羊在吃草，人在劳动或休息。

飞翔的伊卡洛斯独自死去。

这幅画更残忍的一点：人的悲欢岂止不相通，大多数时候是全然麻木无感的。勃鲁盖尔并不刻意抨击这一点。他画了一辈子农民，很了解普通农民或曰普通人的本性。他只是平静地描述了这一点，一幅风景画，一群各安其所的人，一个不起眼的海难者及他最后留下的两条腿与翅膀，一个题目，就描述了这一切。

大多数人有意无意地避开了他人的悲剧，一个个体的悲剧对他们而言并没有什么意义。

（图/小栗子）

囤积与使用

□译/夏建清

我叔叔是这样一个人，他一生都在寻找金银财宝，所以他的藏品很丰富，有黄金、白银、珍稀金属、珠宝、大师制作的剑、精美的刀、精致而昂贵的工艺品（如花瓶和精美雕像）。他会满世界地跑，想方设法得到这些东西并带回家，藏在阁楼里，而他就睡在阁楼下面，离他的珍宝只有一板之隔，如此才能睡得踏实。

叔叔的藏品越来越多，到后来楼板都会嘎吱作响，发出不堪重负的呻吟。可叔叔依旧难以满足，继续到外面淘，继续充实其藏品。

朋友听我讲到这里，说："我并不感觉奇怪，黄金白银，物以稀而贵，能拥有当然好，其他的珍宝也应如此。"

我说："你说得对，这些东西确实好。可是，你不知道，我叔叔从来不使用这些珍宝，他连平常拿出来观赏一下都不肯，他只是收藏这些宝物，把它们锁在阁楼里。一天夜里，我叔叔睡得正香，阁楼上所有的藏品加上楼板的重量，'轰'的一声砸在他身上，瞬间将他砸成了肉饼。"

"太悲伤了！"朋友感叹。

"是呀，太悲伤了！这些珍宝在其他人手里也许能发挥些作用，而不是断送其主人的命。要是我叔叔将它们妥当处置、合理利用，而非一味地囤积起来，结果会是另一个样子。"

其实，每个人都有自己的资源，虽然这资源并非一定是金银财宝，但请记住，所有的资源都是用来使用的，而不是囤积的。

（图/张翀）

人的道路是草的海洋

□Ent

1989 年，有人发现英国伍斯特郡的 M50 高速路旁多了一种新来的植物：丹麦坏血草。这只不过是十字花科的一种小杂草，早在两百多年前就被林奈描述了。它因为传说可治坏血病（维生素 C 缺乏病）而得名，但是这年头谁还会得坏血病呢？

没人在意这个发现。谁也没有想到，它将成为整个英国蔓延速度最快的植物。从 1989 年到 2002 年，仅在伍斯特郡一地，它的分布范围就延伸到 427 千米，相当于每小时前进 3.5 米。作为一种不能动的生物，这个扩张速度十分可观。

虽说这种草英国本来也有，但它以前只长在海滩上，这样的扩张前所未有。特别是，它还有一个奇怪的特点：只沿着道路两侧延伸，仿佛在追随人的脚步和车轮。

研究者很快意识到，这一切都是因为盐。

丹麦坏血草本来是一种滨海植物，长年和大海的接触令它演化出了耐盐能力。但因为人类，新的盐源出现了。过去几十年里，人在道路上播撒了数量巨大的融雪剂，其中包括成吨、成吨的食盐；随着化掉的雪，这些盐渗入了道路周围的土壤。被盐改变的路边土地不再适合普通植物的生存，却意外地变得和海滩盐碱地有些类似——而这片新的土地，被丹麦坏血草发现了。

也许不该说发现：它的种子只是偶然地飘到了这里，大概正是因为车辆的携带。但如果草也像我们一样感知这世界，那么对它们而言，路旁的土壤是应许之地，往来车辆是呼啸的巨鲸，而除雪器撒下的食盐，则是海腥味的浪花扑打在岸边，卷起千堆雪。在丹麦坏血草的眼中，人类的道路是新的大海。

谁知道呢，我们自己没准也只是生长在宇宙的道路两旁罢了。🌱

（图/罗再武）

更难受的人

□李起周

在乘公交车或者坐地铁的时候，我有一个难登大雅之堂的小习惯——侧耳倾听陌生人的对话。因为他们无意间说出的一句话或者随便聊到的某个情节，都可能隐藏着一个耐人寻味的小故事。

偶然听到一段颇有意味的对话时，我的心情就像是渔夫在清早出海捕鱼归来时鱼满船舱那样欣喜若狂，又仿佛从生活的海洋里捞上了一条稀有品种的大鱼般激动不已。

有一次，在弘大地铁站搭乘2号线时，我的正对面坐着祖孙俩。仔细瞧去，小男孩儿的脸色不太好，奶奶的手里握着一个药袋，看样子他们刚去过医院。

奶奶抬起手，把手轻轻地贴在小孙子的额头上，笑着说道：

"哎哟，还烧着呢，回家吃完晚饭就吃药哈。"

一旁的小男孩眨着大眼睛答道：

"嗯，好像还是烧。可是奶奶，您怎么那么清楚我不舒服呀？"

看到这一幕，我在脑海里立刻预想了奶奶可能给出的几个回答，譬如"人上了年纪之后自然而然就知道啦"或者"奶奶当然知道啦"。

结果证明，我草率的猜想完全偏离了答案。

奶奶一边捋着小孙子那凌乱的刘海儿，一边说："这个嘛，病得更重的人自然能发现那些生病的人呀。"

受过伤的人总是更清楚伤口的深度、宽度以及可怕的程度。

所以，当从他人身上或心里看到与自己类似的伤疤时，受过伤的人便更能感同身受。那些长在心里的疤痕给了他们一双能洞察世间疾苦的眼睛。

因为受过伤，所以懂得如何为他人疗伤。奶奶想告诉孙子的，也许就是这个道理吧。

（图/木木）

良驹多挨鞭

□陈亦权

墨子是战国时期著名的思想家、教育家、科学家、军事家。年少时期，墨子曾跟随鲁国的史明学习。史明的弟子很多，不过墨子是他最得意的弟子，按理说最得意的弟子应该受到老师更多的优待才对，可史明对墨子却很少有好脸色，有时候只是因为一点儿很小的事情做不好就严厉批评他，可是别的弟子做错事情，哪怕这个错误犯得比墨子要严重，史明也往往不当一回事，有时候甚至一笑了之。

有一次，墨子因为写错了几个字就被史明训斥了一番，可是别人同样写错了字，史明却并没有特别严厉地批评他们，这让墨子非常不舒服，他站起来说："老师，为什么同样的错误，你批评我就特别厉害呢？我觉得这样很不公平！"史明看了他一眼，把他叫到屋外问："假设有这样两个任务，一个是去太行山，一个是在家里拉磨，你觉得分别让良驹和毛驴做什么好？"

"这还用问吗？当然是骑良驹去太行山，让毛驴在家里拉磨呀！"墨子回答说，

"因为良驹跑得快跑得远，而毛驴没有充足的力气，就只能在家里拉磨了！"

史明点点头又问："那么奔赴太行山的良驹和在家拉磨的毛驴比起来，你觉得谁挨的鞭子会更多？"

"当然是良驹，毛驴拉磨只要慢慢走就行了，而良驹因为要赶速度，就会经常挨鞭子。"墨子说。

史明听后，满意地笑着说："你回答得一点儿也不错！那么你应该明白我常常责骂你的原因了，我这样做就是因为只有你才能担负起上太行山的重任，所以只有你才是一匹经常会挨鞭子的良驹，也只有你才值得我一再地挥鞭子严格要求！"

墨子听到这里，这才恍然大悟，从此以后他再也不因为老师的批评甚至是责骂而暗暗生气了，而是好好反思自己的过错，更加努力地投入学习，后来终于成了著名思想家，开山立派创立墨家学说。

（图/小栗子）

爱着你的苦难

□高明昌

冬天的早晨，寒风刺骨的冷。早上，父亲对我说，今天跟我做生活去。父亲是泥水匠，那活儿一是在露天的地方，二是与烂泥、黄沙、石灰打交道，我行吗？我去了，到了地方，看见每个父亲的身旁都有一个与我年龄相仿的孩子。

父亲把一副手套扔了过来，我戴上手套，接过一桶泥，拿起一块砖，将泥刀上的烂泥涂上去，然后将砖头放到墙上，摁住，再用泥刀刮去泥浆，再用泥刀敲敲。如是反复。手套很快就坏了，接着左右手调换着戴，不多时，手套又坏了。

回家了，父亲说快洗手去。水槽处，十根手指伸出来，一看，十根手指的表皮都碎了，血丝在慢慢地溢出来。母亲舀来一脸盆清水，帮我清洗干净手指上的龌龊，用毛巾擦干，在手指上涂了一层又一层蛤蜊油，又拿过干毛巾，将我的手包了起来，说今晚不能湿水，十指也不能握紧。父亲说，过一夜就好了。第二天早上，我看见手真

的结皮了，有点喜出望外——不是因为我皮肤好，而是因为我可以继续戴手套了。

母亲面对着父亲，像要商量什么大事。母亲说，你看看儿子这手，还是别让孩子学泥水活了，他不是泥水匠的料。父亲反问，不是泥水匠的料，是木匠的料？母亲说也不是。父亲继续说，别人家孩子都愿意学泥水活，我们家儿子为啥不愿意？母亲想想也是，儿子到了干活赚钱的日子，难道一直养着？她苦笑着对我说：孩子，你砖头可少砌一点的，我们不要大人的工钱，学到生活就行。母亲不知道，我砌墙时，根本不想这五块钱，我想到的是，我该如何保护好我的两只手。

五块钱工钱，两顿百家饭，为赚钱，为省钱，就这样，我做了泥水匠。这些都过去了。现在想想，我每次经历一种苦难，父母也都经受着另一种苦难。

（图／熊LALA）

白刺玫

□文　珍

　　白刺玫是一个很长的故事。它同时又那样简单，短得像一个童话。

　　有一天，两个朋友来到陌生的城，进入一个很大的森林公园，为了看一个著名的小亭子。为了找这个亭子，他们迷了路。那天两个缺乏锻炼的城里人，整整跋涉了二十公里，而这座山就像是一座森林的迷宫，一时间走不出去。天马上就要黑了，他们精疲力竭，没有水喝。就在最灰心的一刻，一个朋友指给另一个朋友看一样东西。那不是别的什么，只是路边一朵小小的白刺玫，被穿过枝叶的一束阳光照亮，像一个具体而微小的奇迹，通体发着光。因为这是一条少有人行的路，这一枝白刺玫从天而降，深绿锯齿缘的叶子，枝条上微红细巧的刺，一样样都无比清晰，甚至比日后的命运还要真实。关键是有光。光正好打在了最美的那朵花上，随即又转瞬即逝。仅仅被照亮了一两分钟，白刺玫就回到了黑暗之中，变成了一朵暗处无人问津的花。而两个朋友站在原地，惊呆了。过了很久很久，他们才意识到自己跋山涉水来到此地，并不是为了那个亭子，也不为穿过陌生的山林，只是为了遇见山中这朵注定被照亮的白刺玫，分秒不差，见识到令他们久久不能开口的美。

　　这两个朋友后来一直没有忘记那朵白刺玫，但是他们也从未告诉过任何人它到底有多美，它就像人世间的一个秘密：本来所有的花开，都是为着一个秘密。秘密太大，无法静默，就会孕育成一朵花最终绽放。

　　或许世间有多少朵花，就有多少个关于爱与活着的秘密。🌿

（图/曹黑黑）

懂得吃亏，才是人生赢家

□王世虎

　　单位楼下的路口，新开了两家卖"煎饼卷菜"的早餐摊，虽然卖着同样的早点，味道相差无几，价格也一样，而且每天早上每个摊位前都挤满了顾客，月末一核算，东边胖大姐的利润却足足是西边瘦大姐的两倍多。仔细观察一番才发现，原来差别竟出在经营策略上——瘦大姐坚持自己十几年卖早餐的传统方式，每收一个顾客的钱，就卷一个煎饼，然后收下一个顾客的钱，再卷一个煎饼；而胖大姐则截然不同，她事先把摊好的煎饼叠摆整齐，自己只管收钱和找钱，摊位前并排放着五双筷子，让交完钱的顾客自己动手卷菜。

　　瘦大姐听闻后，惊讶道："让顾客自己卷菜？那岂不亏死了！我以前也尝试过几天，有些人不自觉，一个煎饼里卷的菜量足足是我卷的近两倍，现在物价这么贵，菜难道不要钱吗？我原本能卷100个煎饼的菜，如果让顾客自己卷，恐怕只能卷50个，成本超支这么严重，还怎么赚钱？"

　　话传到了胖大姐耳朵里，她说："表面上看，我的确是吃亏了，因为顾客自己卷的菜量肯定比我多，但好处也是显而易见的。首先，卖早点的黄金时间只有短短一个小时，如果只靠我一个人忙碌，效率太低了，我多放几双筷子让顾客动手，成本虽然增加了，可销量也翻了几倍！其次，我把选择权交给顾客，让他们根据自己的口感和喜好来选择、搭配菜品，回头率也大大增加了！最后，我只管收钱找钱，不仅减轻了体力负担，也有利于我更直观地观察顾客的口感和偏好，了解哪些菜品更受青睐，哪些菜品不受欢迎，以便及时做出调整！"胖老板睿智地笑道，"所以，你看，我只是在成本上吃了点小亏，却能一举三得，何乐而不为呢？"

　　啧啧，一个卖早点的大姐，都能从小事中悟出"吃小亏赚大钱"的道理，不禁让人钦佩！　🌸

（图/小栗子）

跳伞的盲人

□欧恩·乔

我和妻子去费城的一家跳伞俱乐部接受培训。我们十几个人穿戴整齐，站在机场上迎接跳伞挑战。没多久，有个戴着墨镜的中年男子在一只导盲犬的引领下，也来到我们身边。"你需要帮助吗？"一个年轻人问他。"不，我有导盲犬，我不需要帮助。"中年男人说。"你也是来参加跳伞训练的吗？"妻子小心地问。"是的，我是来参加跳伞训练的。"中年男人回答。

"酷！"大家惊呼。中年男子爽朗地笑笑说："你们是在好奇，一个盲人怎么跳伞吧？"看到他如此爽朗，大家纷纷问："是呀，你怎么跳呢？至少，你怎么知道什么时候开始跳呢？""我虽然看不见，可是我能听见，跳伞广播号令一响，我就抱着我的导盲犬跟你们一起排队往下跳就行了。"中年男人说。"这似乎真不难，但是你怎么知道什么时候该拉开降落伞呢？"又有人问。"教练教过我，从跳下的一刻开始数，数到'12'的时候拉开就可以了。"

他笑着说。"但是，你怎么知道什么时候将落地呢？那可是跳伞最危险的一刻。"我也忍不住问。"这个更简单，当我的导盲犬吓得歇斯底里地乱叫，同时我手中的绳索变轻时，我就做好标准的落地动作，一切不就都解决了吗？"中年男人说。

看着他轻松的神情，我们都惊呆了，让我们万万没有想到的是，那天的跳伞训练结束后，教练走过来对我们说："这次训练中，动作最标准，神情最从容，得分最高的人，是迈克，他是你们当中最优秀的跳伞员。""谁是迈克？"我们不约而同地问。"是他。"教练指着那个牵着导盲犬的中年男人说。

没错，那些看起来无法克服的障碍，往往是虚张声势的假象，最难以突破的局限其实是自己，只要能战胜自己，任何人都可以创造奇迹。

（图/曹黑黑）

你会卖掉你的工作吗

□ 罗振宇

江湖传闻，说很多年前，有一次网易的丁磊觉得干公司太累了，就想把网易卖掉算了。然后有一个朋友就问他，你卖掉之后，你就有钱了，你会去干啥呢？丁磊说，我再做一家公司。

那人就说了，你这手头不就有一家公司吗？据说当时丁磊恍然大悟，然后就一直咬牙坚持把网易做到现在，还很不错。

你看，这是一个有趣的悖论，在我们身上不同程度地存在。

我们干一件事，往往是为了摆脱这件事、了结这件事。但是摆脱之后，又发现，我们的兴趣、专长、价值，甚至全部生活，都是这件事塑造出来的，所以又想回到这件事。

这说明啥？说明两个时代，是在我们的观念中共存的。在一个时代里，工作是被迫的生计；而在另外一个时代里，工作是有趣的游戏。我们这代人，是夹缝中的一代，可能永远也摆脱不了这样的纠结。

（图/曹黑黑）

什么才是真爱好

□ 罗辑思维

你说人为什么最好应该有一个爱好？最近我看到一个解释，说爱好最大的用处，是你可以通过它培养自制力。

比如，你突然爱上了钢琴。表面上，你是在上面浪费了很多时间和金钱，毕竟也没啥用。但是钢琴会成为对你的约束，你要练琴、要专注、要在那个圈子里往上攀登。

所以，当钢琴真的成为你的爱好，你会有一项意外收获，就是你成了一个有自制力的人。这会实质性地影响你的其他事业，帮你重塑自我。

这个观点有意思。它也能帮我们判断一下，什么才是一项真爱好。比如有人说，我的爱好是电影和音乐。如果你没事就刷部片子，戴着耳机，这不是爱好，这是消遣。

爱好，它不是你生命之外的东西，而是你费了多少力气把它变成你生命之内的东西。

爱好，不是这个东西给你带来了多少次愉悦，而是你为它投入了多少次自我约束。

爱与不爱，就像一阵风

□马 德

爱的时候，彼此深情付出。不爱的时候，彼此深切懂得。

进一步是爱，退一步也是爱。

如此，才不枉深沉地痛过，不负深刻地爱过。一个人，能沉溺地爱，也能痛快地不爱，才是具备了完整的爱的能力。

不是所有的爱都能坚持到最后。爱到不能爱，爱到不必爱，也是爱的一种结局。能在深爱中清醒地放手，才能在不爱中，理智地为彼此松绑。

这个世界上，只有两种人，你与他（她）说话，可以说到不厌、不腻、不绝。这两种人，一是知音，一是恋人。能说多少，肯听多少，便是爱与不爱的区别。

去爱一个人，这是你的权利。

但，不是所有的爱，最后，都会拥有对方，得到对方。你有爱的权利，却没有必然得到的权利。执于欲念地占有，也终会被这种占有的欲念所伤。爱得对称，才爱得完美。不对称的爱，一方越是狂热，越是炽烈，越会是对方沉重的负累。一阵风，吹到需要的地方，就是春回两岸；吹到不需要的地方，就是霜冷长天。🍃

（图/木木）

狮子和猎人

□[法]拉封丹 译/张 语

一个爱吹牛的猎人，他刚巧丢失了一只名贵的狗，他怀疑是狮子把它给吃进了肚子。当他看到一个牧人时就问他说："你能否告诉我，那只偷吃我的狗的狮子住在哪儿？我非要出了这口恶气不可！"牧人回答说："就在这座山的附近，我每个月都要缴上一只绵羊作为献礼，这样，才能保证自己能够自由自在地在田野中穿行，还能保证得到安宁和休息。"

正当他俩说着话的时候，狮子从洞穴里出来了。它轻松地抖着鬃毛一溜小跑过来，爱吹牛的猎人见状立刻撒腿便跑，边跑边喊道："啊！朱庇特，赶紧告诉我一个藏身之地吧！快让我逃出这鬼地方吧！"

对勇敢的真正考验，就是处在危险境况时，有人会大谈自己正在寻找危险，但只要感觉到危险的存在，马上不吭一声，并且溜之大吉。🍃

行善有度

□兰定远

寺院坐落在山林间，云雾缭绕，钟声悠扬。众僧鱼贯而入，倾听大师讲禅。

大师先打了一个禅谜："禅院附近有一只山羊，前些日子受伤了，许多山羊从四面八方赶来看它，有些山羊还决定要一直照顾它，直到它好了为止。"

大师讲完，向众僧提问："徒儿们，你们看看，将来这只山羊会怎么样啊？"

众僧立即领悟了大师的禅意，这是要求大家向善，待人一定要热情。一个僧人对大师说："师父，将来这只羊一定会被大家照顾得身强体壮，它一定会因感激而做更多善事……"

大师听后，沉默片刻，说："你们可能不知道，这只山羊最后死了。"

"死了？怎么会呢？"众僧面面相觑。

"师父，它是怎么死的？"一个小沙弥问道。

"它是饿死的。"大师回答说。

"怎么会饿死呢？有这么多同伴照顾它，它应该很快就好了啊！"众僧更加疑惑了。

大师笑了："徒儿们，来看望它的山羊都要吃草，那些决定陪伴它的更要长期吃草。长此以往，禅院旁边的草都被它们吃光了，这只山羊就没有草吃了，所以饿死了。"

众僧陷入沉思。大师补充说："行善有度，恰到好处。"

众僧顿悟。🌰

（图/孙小片）

以天地为格局

□刘墉

人生好像在堆高塔，你想堆得愈高，那底盘就得愈大。你不能把每块石头都往塔尖上放，而要多分一些在塔基上。塔尖是你，塔基是你周遭的人。

你必须从年轻的时候，就学着去关怀、谅解、帮助别人，并欣赏每一种文化、每一样食物、每一个人种。于是，你不再狭隘、不再偏心、不再小气，你学会与大家共享、共荣，因而得到更多人的爱护。如此说来，你又何须大的阳台、客厅和庭院呢？你已经以宽广的天地作为格局。🌰

为谁而发奋

□张小娴

　　你会不会为一个男人而努力过自己的人生？我从来不知道我有一位那么深情的朋友。认识她的时候，虽然她的才华已经受到赏识，但是，她的生活过得还不是很好，她的世界也很灰暗。这两年来，她的事业突飞猛进，也赚了很多钱。我们住在两个不同的城市。去年，我去找她的时候，她抢着请我吃饭。我取笑她：

　　"你现在是不是赚到很多钱了？"

　　那一刻，她竟然真的从心底笑出来。今年初，她来香港找我，她的事业又跨进了一大步。她的世界也多了很多欢笑。这天，从她的朋友口中，我才知道，这些年来，她所做的一切，都是为了一个已经跟她分了手的男人。她要努力，要成功，那样就可以向他证明她是他爱过的女孩子之中最好的。虽然大家没有再联络，然而，他会知道她现在有多么出色。那个朋友问我："你有没有曾经为了一个男人而努力？"

　　记忆之中，我是没有的。然而，能够为一个男人而努力，那毕竟是好的。起初，你是为了要他后悔而努力，当你渐渐迈向成功，你是为了你自己而努力。只要成功，当初是为了谁而发奋，也不重要。🌰

（图/木木）

目光与格局

□佚　名

　　有一次在西藏旅行，当越野车把我们带到素有神仙居所之称的鲁朗时，一个游客刚跳下车来，便大声疾呼："你们看这草地上，有多少牛粪啊，真让人受不了！"

　　他的朋友忍不住哈哈大笑，说："你让自己的目光高一点儿好不好？不要总是看着自己脚下那片地方！顺着这青郁绿浓的牧场，你往远处瞧瞧吧，你的视野里会出现烟霞掩映、林野郁葱、天云澄碧的画境；万象春气，山河雄壮，胜景于前，置身于此，为什么非要低头向下呢？"

　　两人的对话，让我心有所悟：旅如人生，人生如旅，目光低浅者，看不到雄宏的盛景、轮奂的大美，唯有视野高远的人，方能丽象入目，瑰境盈心，思接宇宙，意揽乾坤啊！🌰

化作一摊水

□李碧华

路过港岛东区太古城中心，正在举办哈尔滨冰灯节，大排长龙。还见台上有宣传活动，年轻人在做冰雕，十分热闹。

约了朋友才喝杯咖啡，之后再路过，原来已曲终人散。只剩点点水渍——真是"赶"字当头，争分夺秒。

冰雕，不管花上心思精神时间，最凄美而无奈的，是难以久留。莲花、海豚、金鱼、蝴蝶……原本已是有限的生命，以冰塑之，更短暂。即使一个寿桃，还是稍纵即逝无法长生。过程中，一边雕塑一边融化，失手便碎裂。"作品"完成，晶莹剔透栩栩如生，却永不留底。来了，去了。化作一摊水。

任何雕刻塑造，都需要专注和技艺。

某些材料如玉、石、竹、木、象牙……即便米、豆、一根头发，作品可以流传，后人欣赏。但若是冰块、牛油、芝士、瓜、果之类，才一阵，已融化变坏或萎谢成尸，一切，只如美人名将天才，不许人间见白头。

过眼云烟，怎可依依不舍？

泥和沙，本身亘存，但泥雕和沙雕，一个大浪卷来，悉数顺便带走，像从未发生过…… 🌀

不皲手之药

□常 青

《庄子·逍遥游》中记录了这样一个有趣的故事：宋国有一户人家，世代以漂洗为业，会做一种保护手不皲裂的药。一名游客听说此事，愿用百金来买他的药方。这家人聚集在一起商量："我们世世代代在河水里洗，也挣不了几个钱，现在一下子就可卖得百金。还是把药方卖给他吧。"游客得到药方以后，便献给了吴王。正巧此时越国发难，吴王派他统率部队，冬天跟越军在水上交战，药方使得吴军将士的手都没有被冻裂，战斗力大大提高，从而击败越军，吴王大喜，割地封赏了这位游客。

同样的资源用于不同的地方，其效用的差别非常大。一张不皲手的药方，在百姓家中就是普通的药膏，但有人就会拿它获得封赏，成为诸侯。 🌀

从菜鸟到大师的距离

□张一楠

我有一位朋友，他的文化程度不高，初中都没有念完，但是在全中国做拉面是第一名。连续三年做拉面，连续三年第一名，年薪一百多万元。

在聊天时，他曾经非常自信地告诉我们："我敢保证全世界没有一个年轻人在十六七岁时像我一样脱光衣服在家里练做拉面。"后来有人问他："你的拉面是全国第一名，那么多人喜欢吃，你到底用什么和面？"他每次都平淡地告诉别人："我是用汗水和面。"他每天练习做拉面，就一个标准，就是看有没有练出汗来。如果没有练出汗来，就绝不会停止。每天练出汗来以后，再穿上内衣，穿上衬衣，穿上西装。

他现在穿着西装做拉面，可以做到不让面粉沾在西装和领带上，一个白点都没有。他从十六岁开始，天天练习做拉面，风雨无阻，从不间断，结果就这样练成了全国第一名。

其实，世间所有的行业里都没有大师，大师也曾经是弱小的菜鸟，但是经过千万次的练习，千万次的修正，千万次的反思和自我超越，他将普通人远远甩在了他视线之外的远方，他就成了大师。我想告诉大家一个惊天的秘密，从菜鸟到大师的距离，就是练习。

（图/木木）

认得回来

□张宗子

一个人的玄想能走多远，便是他才气的度量。随时离开，随时回来。回来的路没有距离。有人记得回来的路，只因他的路简单，走得不远；有人确实走得很远，却迷失了。《后西游记》第二回，小石猴外出学道，告别老猴通臂仙了："愚孙要别老祖去求仙了。"通臂仙笑道："求仙好事我不阻，你但出门，便有千歧万径，须要认真正道，不可走差了路头。"小石猴道："我只信步行将去，想也不差二。"通臂仙道："信步行将去固好，还要认得回来。"小石猴道："有去路自有来路，不消老祖费心。"东坡蜗牛诗："升高不知回，竟作粘壁枯。"

从欲望开始，却不归结于欲望。

时间开窍

□丁菱娟

　　大约两年前，我买回一套喜欢很久、纯白色的景德镇出品的餐具。兴奋之余，放水冲洗，一不留神，一只盘子扣在了汤盆上，如胶似漆，怎么弄都分不开，那个气哟！　老妈说："放锅里煮煮试试！"煮了十分钟，盘子纹丝不动。用螺丝刀撬，枉费心机；用锤子敲，承受不起。打电话问商场，回答说之前没遇到过类似问题，自己想办法！无奈中只得放弃折腾，束之高阁。　过年之前，收拾厨房，我偶然翻出扣着盘子的"新"汤盆。上面落了许多灰尘。叹息之后，我忽然想再试试能不能分开它们。用手拨弄两下，没开。心不死，找来擀面杖，沿瓷盘边缘，一点点慢敲。盘子发出阵阵声响，很有节律。呵呵！仿佛音乐，别有韵味。不知道敲了几圈，盘子与汤盆间开始松动，继续敲。"哗啦"一声，盘子与汤盆突然分离，无比高兴！

　　奇迹在两年后出现。仔细琢磨，怎么那么容易分开了呢？用食指划拉瓷盘上的土，再看盘沿与汤盆咬合之处：岁月的剥蚀与灰尘的浸润早已离间了盘与盆的亲密，以致当初的无懈可击显出了丝丝缝隙。忽然间就觉得，当初选择不折腾、不较劲、不理睬和不心疼是对的。如果当时因为舍不得而一味纠缠，非要一个结果的话，也许那个扣着盘子的"新"汤盆早被我给弄碎了，一定等不到今天。

　　庆幸时间叫人开窍。有时候放一放，对自己，对别人，都好。🌿

（图／木木）

针与盐

□蔡志忠

　　学僧问："此岸与彼岸的差别如何？"
　　禅师说："众生面对当下时，像一根针在水桶里：桶中有水、有针。"
　　学僧问："彼岸境界又如何？"
　　禅师说："开悟者像一粒盐融入一桶水，水中找不到盐，看不到、拿不着，但整桶水都充满着咸味。"
　　彼岸就是让自我融入时空中，虽然找不到自己，但整个情境没有哪一部分不是自己。🌿

向日葵左转，牛粪右转

□李浅予

前段时间，在南京国际马拉松比赛上，5名平时成绩非常优秀的非洲选手因对赛道标识不熟悉，跑错了路线，和冠军失之交臂。赛后，不少网友调侃："这几名非洲兄弟是看南京风景太美，所以来了个玄武湖半日游。"

和马拉松比赛一样，在赛车比赛中，赛车手对路况熟悉与否，对比赛成绩影响很大。因此，比赛前看路、熟悉路况、做好路书，精确地标记出在哪里左转、哪里右转，哪里有弯道，就显得非常重要。

作家韩寒刚做赛车手时，路书通常是这样的：右300米，前方第28棵树左转。可真正进入比赛，韩寒立马傻眼了：每小时一百七八十公里的速度，只见路边的树唰唰唰往后倒成一片，哪里还数得清第28棵树？

这招不灵，韩寒又想出了新的一招：比如，路边有棵向日葵，特别显眼，接着，他又发现了一个独特的标识，一堆牛粪。于是，韩寒在心中默默地念叨：向日葵左转，牛粪右转。可是，第二天比赛，意外还是出现了：向日葵没了，牛粪被铲走了。

人生没有标记，更不能做路书。人生的赛车一旦启动，便无法停下来，而是向着一个无法驾驭的远方，一路狂奔。为了不跑错路，我们不能只依赖路上的标记，关键是记住自己从哪儿来，要到哪儿去。这样，人生就不会走入歧途了。🌰

（图/木木）

一时与一世

□星云大师

人世间，再苦的事，如果你想到那是一时的，马上就会过去。如此一想，再大的辛苦，再难的逆境，都能突破、都能克服。人世间，再快乐的事，你也要想，那只是一时的。有此认识，你就不会留恋，贪图不舍。对于苦乐都能舍的人，还有什么事情不能成功呢？🌰

比美貌更重要的是女人的风度

□徐 嗖

都说傅莹满足了所有人对于女外交官的刻画。她虽一头花白的银发，却永远打理得一丝不苟，着装大气得体，谈吐不疾不徐，微笑优雅端庄。如今渐渐年迈，可只要一得闲，便要坐下来看书。当媒体夸赞她温雅中透着力量时，她自己却依然认为要学习的东西很多，希望慢慢改进。傅莹的丈夫说，大家都觉得她温婉，但努力才是她最大的特点。一直努力，才有了今天的她。一个永远不满足于提升内在修养的女人才会永远美丽。褪去外表的美丽，女人还要有迷人的风度。

我惊讶于一个朋友如今的气质大变，原本的她除了漂亮，其他的一切都特别粗糙。而现在的她没事就会捧着书看，闲暇练瑜伽，假期就出去走走，她认为修身养性比浮躁的夜生活来得有趣得多。多读几本书，多走几段路，人生大不同。

对于一个女人的内在修炼，三毛是这样说的：读书多了，容颜自然改变，许多时候，自己可能以为许多看过的书籍都成了过眼云烟，不复记忆，其实它们仍是潜在的。在气质里，在谈吐上，在胸襟的无涯，当然也可能显露在生活和文字里。

当女人渐渐老去，皱纹布满往昔姣好的容颜时，只有优雅和风度才是不会褪色的美丽，而且美得那么自然天成。🌾

（图/木木）

两类心

□冯海鹏

一件古董，流传中分为两半，甲乙各得一半。于是，甲乙都想让藏品合璧。

甲找到乙说，愿出高价收回乙手中的一半。乙摇摇头，坚决地说，我也正有此意。

僵持了很久，两人相互利用各种办法，都没有使对方松口。一日，甲突然觉得，改变不了现状，可改变思想啊。于是，豁然醒悟，捧着半个藏品要送给乙，他的道理是，让心爱的藏品合体不失为一件美事！敲开门，说明来意，乙一时目瞪口呆，然后追悔莫及。乙的想法是，我得不到你也别想得到！于是在某个夜里，将半个藏品摔个稀巴烂，扔进了垃圾箱，再也找不回。半个藏品分出了两类人，分出了两类心。🌾

独立人格

□斯　人

　　一个美国女孩乘坐父亲驾驶的私人飞机，不幸失事坠毁，机上父母、姐姐和表姐当场丧生。小女孩独自一人，只穿短袖衫裤，流着鼻血，冒着4摄氏度的严寒，光脚行走1.6公里，穿过两处堤坝、一座山、一处河床，凭着黑暗中一点儿微弱灯光，找到荒野里的人家。那个社区只有三户人家，只要朝相反方向走，她就没有生存希望。

　　但凡一个孩子，碰到这种场景，父母亲倒在血泊里，四下阴风愁惨，寒意逼人，除了坐在地上啼哭之外，大概不会自己镇定下来，想一想活命的办法，但这个只有八岁的小女孩做到了。

　　据说她父亲是飞行教练，平时有教她野外求生的办法，或许在危急时刻，那些未必很明白的常识从她脑海里涌出来了。

　　但最重要的，还是从小就养成的独立性格，凡事都自己处理，不依赖父母。这种从小养成的独立性，在没有人可以依靠的绝境中发挥了作用。

　　人本来就是独立的个体，但生活水平一再提高，人受到的照顾一再贴身周到，小孩子衣来伸手饭来张口，在万事恒常稳定的环境里，永不需要自己去解决问题，不需要独立面对困境，在灾难临头时，便只会手足无措。没有人可以预料自己漫长一生中会有什么事发生，要生存，便只有靠独立的意志，独立的能力。

（图／木木）

母爱的姿势

□乔兆军

　　喜欢王祥夫的散文《母爱》，文中有一段喝酒的描写让人感动："我才喝了三盅，母亲便说，喝酒不好，要少喝。我就准备不喝了。刚放下盅子，母亲笑了，又说，挺长时间没回来了，就再喝点。我又喝。才喝了两盅，母亲又说，可不能再喝了，喝多了吃粥就不香了。我停盅了。母亲又笑了，说，喝了五盅？那就再喝一盅，凑个双数吉庆……"

　　母亲一再让儿子喝酒，又一再阻止儿子喝酒，这种想让儿子尽兴又担心儿子健康的矛盾心理感人至深。

让自己有趣的捷径

□艾小羊

我楼上住着一个耿直妞儿，谈正事儿经常得罪人，但大家还是喜欢跟她一起玩，因为她对旅行深研到了比绝大多数导游还精通的地步。

她了解每一个著名旅游景点的日落时间，对于全球明星、名媛、贵族后代开的餐厅、酒店了如指掌。跟她一起出门，你会一边抱怨她的性格，当她领着大家，没有经过漫长的等待与冻成狗的惨痛经历，就看到了北极光，你会由衷地觉得跟她在一起实在是太有趣了。

她是怎么做到的？提前半年，把全球所有能够看到北极光的地点，画成精细的表格，分析时间、概率，精准地掌控大自然最不可能掌控的那部分。

这么有趣的姑娘，我们允许她身材胖一点儿，说话耿直一点儿。

所以你看，你觉得自己无趣，绝不是因为爹妈没有从小培养你的口才，而是你没有在有趣的事情上下功夫。🌰

（图/木木）

大鱼·小鱼

□王鼎钧

富兰克林本来是吃素的，后来他由波士顿到纽约，看见船上的厨子剖开一条大鱼，从鱼腹中取出另一条鱼来，于是他想："你们既然可以自己吃自己的同类，我为什么不能吃你们？"于是他决定放弃素食，开始吃鱼。

"人必自侮而后人侮之。"所以做人要立志向上，否则，别人会说，这人既然自轻自贱，我为什么不可以损害他？所以一个家庭之中要互相忍让，互相帮助，一团和气；否则，别人会说，他们家人父子之间尚且互相残害，我对他们为什么要宽宏大量？所以一个团体要精诚团结，和衷共济；一个国家要上下一心，共信互信；否则，不啻是发出宣言说："你们赶快来欺负我们吧，我们实在不愿意好好地生活下去了。"🌰

聪明不是看得出来的

□潘焕新

幸道成在一家编织袋厂打工，平常沉默寡言，也从没见他与人争长论短。

厂里有一笔20万元的货款还未进账，老板派人数次催讨，对方总是找出种种理由一拖再拖。老板认定这笔钱就此打了水漂。可他又不甘心，就对全厂员工说："谁能讨回20万元货款，将给予他5万元奖金。"

厂里有几个能说会道的高手先后请缨，结果都是空手而归。这时幸道成站出来说："我去试试吧。"他话音刚落，众人一阵哄笑。三天后，幸道成居然将15万元货款交到老板手里。众人惊愕之余，纷纷向他讨教，到底有何绝招。幸道成憨厚一笑：原来他与欠债人开门见山地说，所欠20万元货款只需交16万元，就算全部结清，并立下字据，保证日后不再追讨。对方见有这等好事，乐得白赚4万元，以后又不会再有纠缠，当即把钱交出来了。于是，他把15万元交给老板，自己留下1万元作为奖金。

众人一听，对他刮目相看的同时，无不顿足懊悔。

谈判，只有对方得利的情况下，事情才能圆满解决。靠逼迫、靠威胁，都是徒劳无功的。

（图/木木）

都吃小鸡，人和老鹰有啥区别

□罗振宇

人要吃小鸡，老鹰也要吃小鸡，他们之间有区别吗？有。老鹰吃掉一只小鸡，世界上就少了一只小鸡。而人吃掉一只小鸡，他就要想出各种办法，多养出一只小鸡。

所以你看，能列入人类食谱的动物，从个体的角度来说很悲惨，但是从基因的角度来说，反而是最成功的物种。

比如说世界上现在有200亿只鸡，没有任何鸟类能有这样的基因成就。

所以啊，如果某种资源稀缺，大家就要少用某种资源，这是动物，或者是人类古代文明的逻辑。而人类现代文明呢？就多出来一个逻辑：越是稀缺，越要多用。结果是：要么生产得越来越多，要么替代品出现得越来越快。

鹅为鸡站岗

□倪西赟

有一农夫在山上养鸡，眼看即将丰收，鸡却接二连三地死亡或丢失。经过一番观察，原来是蛇和黄鼠狼在作怪。在山上，白天经常会有蛇出没，蛇常常会咬死鸡。一到晚上，黄鼠狼出动，鸡就成了黄鼠狼的菜。

农夫想了很多办法都不奏效，眼看鸡一只只不见，损失惨重。无奈，他向一位有经验的前辈请教。前辈想了想说："你去养鹅专业户那里买几只凶狠的鹅回来，并把鹅和鸡放在一起，与鸡同吃同睡。""让鹅为鸡站岗？"农夫非常惊讶。他半信半疑地去养鹅专业户那里买了几只鹅回来，与鸡放在一起。

鹅来了以后，经常追得鸡到处躲藏，甚至那条大黄狗也被鹅追得到处跑，常常鸡飞狗跳乱成一团。特别是鹅铜锣般的鸣叫，让人讨厌。不过，鹅来的这段时间，农夫发现自己的鸡竟没少一只，他感到不可思议，找到前辈，请教这是为什么。前辈的解释让农夫恍然大悟。原来，鹅是一种很机警的动物，一有动静就会嘎嘎叫，见到敌人也很喜欢斗。最关键的是鹅的眼睛呈凸透镜结构，物体进入它的眼睛后会缩小，所以，一条蛇在它的眼睛里好像是一条蚯蚓，黄鼠狼在它的眼睛里好像一只老鼠，鹅当然不把这些"小动物"放在眼里了。

无论对手多么强大，只要在你眼里缩小对手，你就会获得无畏的勇气。

（图/木木）

两种声音

□［俄］列夫·托尔斯泰　译/草　婴

婴孩还感觉不到自己的灵魂，因为他们还没有经历过在成人身上常常发生的那种体验，即内心同时有两个不和谐的声音在讲话。

一个说：自己吃；而另一个说：送给讨要的人。一个说：要报答；而另一个说：要索取。一个说：相信别人的话；而另一个说：要自己思考。

人年龄越大，就越常听到这两种不和谐的声音：一个是肉体的声音，而另一个是灵魂的声音。那习惯于倾听灵魂的声音，而非肉体的声音的人，将过上好日子。

你知道什么是"进托邦"吗

□罗振宇

最近我换了一部新手机。老的那部拔下 SIM 卡，就扔到抽屉里了。过了两个星期，因为要查一个资料，我又不得不打开它。

打开之后我发现，那部手机里原来我下载的所有应用，所有的 App，无一例外都需要更新了。

虽然我一直知道这个世界变化快，但是更新得这么快，还是让我有点儿震惊。仅仅两个星期，手机这个世界里的每个角落，都被迭代和改良了。

这让我对凯文·凯利提出来的那个词又有了更深的理解，那个词叫"进托邦"。

过去，我们总是想，如果能发生一个什么变化，达到一个什么目标，那就好了，那叫乌托邦。

而今天，处在不断进化的过程中，这本身就是生活方式，这叫"进托邦"。

在进托邦的时代，达到任何一种状态，都不再是目标。真正的目标是啥？是防止像我那部老手机那样，被抛离在变化之外啊！◈

幸福的能力

□吴伯凡

顾城有一首诗《给逝去的老祖母》，说他的祖母每次搬家的时候，都会把一个包裹紧紧抱着，不让别人碰。别人都不知道那是什么东西，后来知道就是一种已绝迹的玻璃纽扣，因为这是他祖母的初恋情人送的。

然后诗人就写了一句：你用一生相信，它们和钻石一样美丽。

拥有这一生的持续感、一贯性和沉浸感，我觉得她就是幸福的。

我们反省一下自己，现在不是没有那种幸福的条件了，而是没有了那种幸福的能力，玻璃纽扣是多么廉价的东西啊！◈

真正的陷阱

□张君燕 离萧天

　　早年，三叔在深山中做守林员。那时山里野味非常多，他偶尔会抓一些小动物给自己打打牙祭。

　　三叔说，除了小动物，他还抓住过体型很大的野猪。有段时间，野猪经常把房子的篱笆拱得七零八落，他便琢磨着给野猪一点儿颜色瞧瞧。野猪一般重达几十斤，甚至上百斤，还具备很强的攻击性，想要抓住它们很难，三叔便在房子周围挖了陷阱。野猪很聪明，似乎看穿了三叔的"招数"，总能巧妙地避开。后来，三叔想了一个妙招，接连成功地捕获了几头野猪。那之后，野猪再也不敢来"冒犯"了。

　　我忙问："是什么妙招呢？"

　　三叔清清嗓子，笑着说："我在大陷阱旁边又挖了一个小陷阱，正是那个小陷阱捕到了野猪。野猪看出大陷阱之后，放心地继续往前走，一不留神就掉进了紧挨着的小陷阱中。"

　　"就这么简单？"

　　三叔摇了摇头，轻声说："简单吗？一点儿都不简单啊！"

　　时隔多年，再次想起三叔的话，我早已有了不同的认识和感受。的确，大的陷阱容易识别，而真正危险的却是暗藏的小陷阱。

动车与绿皮车

□黄小平

　　动车比绿皮火车跑得快，那是因为绿皮火车的动力全在车头上，后面的车厢是不带动力的，整列火车全靠车头带动；而动车则不同，它不只是车头带动力，它后面的每节车厢都带动力，每个车轮都在驱动着火车行驶，所以动车自然也就比绿皮火车跑得快。

　　若把一列火车比作一个团队，那么车头就是团队的领头人，而后面的车厢就是团队的队员。要想让团队这列火车跑得快，发挥出最大的效益，作为团队的领头人，不仅要用自己的动力来带动团队，而且要让团队每个队员发挥内生动力，去自己驱动自己，最后达到相互推动的效果。

能与不能

□郭华悦

爱得越多，越深，你会发现禁区越多。

一开始，两人相恋时，你的感觉是，整个世界包括他的世界，都为你敞开了。你能有人陪着做任何事，无聊时也能有人说说心里话；还有，你能让对方做这个，做那个。于是，你觉得恋爱的好处真大，让你无所不"能"。可后来，你发现，事情慢慢变了个样，你觉得自己的顾忌越来越多。无论做什么，你总会下意识地想想，对方如果不喜欢怎么办？于是，你的世界里，"能"越来越少，"不能"越来越多。你觉得郁闷。以前，刚谈恋爱时，总觉得世界之大，随我任意，无所不能；可如今，说什么，做什么，生怕让对方不高兴。

其实，这是件好事。以前，你关注的是能做什么，换言之，你更关心的是自己，你在意的是能从对方身上得到什么。懂得关心自己、照顾自己没错，可这仅仅是你在爱情路上成长的第一步。而第二步，就是"不能"。你不能做什么，做了可能会引起对方的不快，导致感情的危机。你以对方为中心，以这段感情为考虑的第一要点。这说明，你懂得去爱别人，去维系一段感情。这就像一段感情里，通过索取和付出，你在慢慢成长，慢慢成熟，这不是一件值得高兴的事吗？

只有"能"或"不能"，感情势必不能长久。如果你懂得了"能"，同时也知道了"不能"的重要性，那恭喜你，在爱的道路上，你已经踏出可喜的一步。

（图/木木）

一瞥

□毛　姆

这天地之间有不可计数的人，对于他们来说生活只是无休止的劳作，既谈不上美好，又称不得丑陋。春花秋月，夏蝉冬雪，四季更替似乎不过轮回一瞥。他们就是如此在生活中木然老去。人生是没有意义的，这让菲利普胸中怒火骤起。他不能接受这个事实，可自己的所见所想偏偏让他不得不信。好在这怒火也是喜悦的。人生既已如此颠簸可怖，知道它没有意义反而使人鼓足勇气、大胆面对。

请鹅给鸭子做"保镖"

□赵元波

鸭农专门挖了个池塘，里面放上水，周围用铁丝网围起来，用来养鸭子。

夏天是鸭子产蛋的旺季，鸭农发现，有一段时间，鸭子下在窝里的蛋竟然无缘无故地丢失了，偶然间，也会出现鸭子被咬死在池塘边的情况。

究竟是什么东西在作怪呢？经过仔细观察，鸭农发现，是蛇在晚上钻进了池塘里来偷鸭蛋吃，或是把鸭子给咬死了。

找到了问题的根源，一时还真的有点儿棘手呢，后来，有人对鸭农说：你去买几只鹅回来，把它们和鸭子混养在一起，鹅给鸭子做"保镖"，兴许会起作用呢！鸭农听了，半信半疑，他实在是没别的招了，索性试试得了，况且，鹅和鸭子都喜欢水，吃的食物也差不多，养在一起应该没什么妨碍。

自从鸭农买了几只鹅和鸭子养在一起后，情况大为好转，再也没有出现鸭蛋丢失或是鸭子被咬死的情况，有时候，池塘周围还会有一截一截的水蛇尸体呢！

原来，鹅极为敏感，生性勇敢，当胆小的鸭子的"保镖"最合适了，一有风吹草动就嘎嘎直叫，见到蛇钻进来，立马上去就啄，直到把蛇给啄死才肯罢休。

找到了根源，采取恰当的措施，问题也就迎刃而解了。🌿

(图／曹黑黑)

施炙

□祁白水

魏晋时期，非常讲究出身，能做官的都是豪门士族，他们瞧不起寒门出身的人，就更不用说仆婢之人。虽然社会上风气如此，但也不是没有例外。

东晋大司马顾荣，有一次受邀赴宴，觉得做烤肉的那人很想吃烤肉，就把自己那份给了他。同席的人都嗤笑他，他说："哪有整天烤肉，却不知道烤肉滋味的呢？"孔子云："己所不欲，勿施于人。"其实，反之也一样。陶渊明送儿子去读书，并派了一名书童跟着，他叮嘱儿子道："彼亦人子也。"虽然是他伺候你，但他同你一样也是人生父母养的。

陶潜之伟大，并非只因诗。🌿

胡鼠的路

□程　刚

　　西非沙漠里有一种鼠叫胡鼠，这种鼠在沙漠中有强大的生存能力，而这种能力得益于它们强大的找水能力，由于胃部较小，容水量较少，消耗很快，所以，它们每天不停地奔走，几乎不停歇。

　　胡鼠其实也有停下来的时候，停下来的胡鼠特别有意思，只见它们四脚朝天躺在地上，一动也不动。

　　对于这个现象，许多动物爱好者有不同猜测，但大部分人认为，这有可能是胡鼠太累了，想休息放松一下，因为不久后，它们又开始奔走，寻找有水源的地方，可它们休息为什么要四脚朝天呢？这个推测不太完美。

　　也有一部分人猜测说，这可能是胡鼠一次饮水过多，身体承受不了，所以才要停下来。可是，这个理由似乎也站不住脚，按照胡鼠体内容水量，它们是不可能一次摄入很多水的。

　　一位动物学专家最终给出了答案，他指出，胡鼠突然间停下来，且都是四脚朝天躺在地上，是由于沙漠地表温度高，再加上它们这一天奔走超过了数十甚至数百公里，肚皮与沙漠地表一直在摩擦，导致肚皮温度越来越高，它们承受不了才停下来，然后四脚朝天散热。

　　胡鼠的休息方式给了我们深刻的启迪：有些时候，我们一直在努力奔跑，可当我们承受不住的时候，千万要学一学胡鼠。切记，适当地停下脚步，其实是为了走得更远。

（图／曹黑黑）

逞能

□于文岗

　　有个寓言说：一人被一狼追赶，走投无路的情况下，抓起一块羊皮披上，混入羊群。狼追到羊群前，分辨不出哪个是人，便问计于狐狸。狐狸对狼耳语几句。狼窃喜，对着羊群高喊："人啊，你装扮成羊，真是太逼真了，我一点儿也看不出破绽。人，虽然你聪明，但有一事你无法做到，你能把自己扮成狼吗？"话音刚落，只见人气呼呼地站起，把身上的羊皮一掀："谁说不能？"说时迟那时快，狼猛扑过去，咬住了人的喉管。后来，狼说了一句话，在狼群中广为流传：如果你想看清一个人的本来面目，就让他去逞能。

《红楼梦》里的三次葬花

□亚比煞

《红楼梦》里写到葬花，一共有三次。

第一次是在第二十三回，宝玉和黛玉一同葬花，之后，两人并肩在花下读《会真记》，两情相悦，两小无猜，虽然"花谢花飞花满天"，这落花却成了一双小儿女最甜蜜最浪漫的布景，那真是春风醉人的热恋时节。

第二次，就是在芒种节，已是暮春时分。这一次，只有黛玉独自葬花，宝玉只在暗处偷看。黛玉已经预感到自己终将凋零的宿命："侬今葬花人笑痴，他年葬侬知是谁？"宝玉听了，心疼不已，恸倒在山坡之上。

而最让我难过的，是第三次的葬花，这一次，作者的笔法，却是轻描淡写。

怡红院的小丫头们斗草玩，游戏结束之后，宝玉把方才他们玩的夫妻蕙和并蒂菱用树枝抠了一个坑，掩埋了。香菱还笑他："你这又做什么？难怪人人都说，你惯会做些鬼鬼祟祟让人肉麻的事。"

可是，谁也没有注意到，这一次，唯有宝玉一人葬花，却不再有黛玉。

而且，也没有人发现，这一次，宝玉葬的花，是"夫妻蕙"与"并蒂菱"。

（图/曹黑黑）

了不起的盖茨比

□F.司各特·菲茨杰拉德　译/巫宁坤

在我年纪还轻，阅历尚浅的时候，父亲教导过我一句话，我至今念念不忘。"每逢你想要批评任何人的时候，"他对我说，"你就记住，这个世界上所有的人，并不是个个都有过你拥有的那些优越条件。"

当一个人痛苦的时候才会变得才华横溢，当我的生活步入正轨时，我开始跟你一样，像你忘记我那样忘记你，然后忘掉那些痛苦，开始变得平庸可耻。我不愿这样，也不愿意这样，我无法触及你，你就像盖茨比的梦，璀璨无比，却又触不可及。前方的路上诱惑太多，我没有盖茨比那么了不起，我可能走上其他的路，无法一直追逐你的脚步。

（图/曹黑黑）

存在与时间

□海德格尔

在这种不触目而又不能定居的情况中，常人展开了他的真正独裁：常人怎样享乐，我们就怎样享乐；常人对文学艺术怎样阅读怎样判断，我们就怎样阅读怎样判断；竟至常人怎样从大众抽身，我们也就怎样抽身；常人对什么东西愤怒，我们就对什么东西愤怒。

这个常人不是任何确定的人，一切人——却不是作为总和——倒都是这个常人。就是这个常人指定着日常生活的存在方式。

平均状态是常人的一种生存论性质。常人本质上就是为这种平均状态而存在。

平均状态先行描绘出了什么是可能而且容许去冒险尝试的东西，它看守着任何挤上前来的例外。任何优越状态都被不声不响地压住。一切原始的东西都在一夜之间被磨平为早已众所周知之事。一切奋斗得来的东西都变成唾手可得之事。

庸庸碌碌，平均状态，平整作用，都是常人的存在方式，这几种方式组建着我们认之为"公众意见"的东西。

（图/曹黑黑）

海边小屋

□梅·萨藤

有一天，看到车里有一位老年男子，有片刻工夫我以为是一个老妇人。难道人老了，男人看上去像女人，女人看上去像男人是真的？我相信如此。女人到老时，脸上的虚荣开始减退，特征浮现了出来；男人在某种程度上争强好胜的动力不见了，变得更柔和。记得珀里·科尔曾告诉我说他不忍心再打猎捕鹿了；而在年轻时，他对此根本想都不想。人老了的好处之一是我们不需要再去向谁逞能，不需要再对他人或对自己证明什么，我们是我们自己。

（图/曹黑黑）

食有定数

□钱婉约

很久以前读到一则故事，只依稀记得大概，却一时查不到准确的出典。写在这里，以求证于方家。

主角似乎又是苏东坡，其素嗜食鸭，某次身染微恙，请了卜卦师来看看。算命人说，先生爱吃鸭，你一生可食鸭子数在三百，现已食至二百八十，从今而后请节制而食之，勿使满定数。于是，东坡放慢了食鸭节奏，思念鸭膳而不敢轻易尝食之，直到定数只剩下最后两只。不料，有一次偶在友朋家做客，鸡鸭鱼肉，食前方丈，无意间不慎又吃了一只。于是乎，东坡在食鸭定数到达之前止步，过完了他无鸭的余生……

故事虽出典不明，缺乏考据，而古人对于人一生"食有定数"的观念是普遍存在的。衣食无忧的人们，纵使是美食家，纵使是大肚郎，遍尝而不偏颇，嗜爱而有节制，细水长流，亦才是不违"吃饭之三昧"吧。

(图/罗再武)

只苦自己

□潘向黎

苦瓜这一味，不是人人喜欢，那喜欢的人，也不会从小喜欢，大概要三十五岁以后才会喜欢。

也许是到了一定年纪，知道回味比"前味"更重要了，又也许，是在人世的苦海中沉浮久了，已经习惯苦味并从心底接受了。

有一天，母亲说苦瓜可以煮汤，我说：那汤不是很苦吗？

母亲说其实不然，苦瓜的汤并不苦，苦瓜有个特点，和别的菜煮在一起，不会让和它在一起的食材变苦，"它不苦别人，只苦自己，所以它有个别名，叫作'君子菜'"。

不苦别人，只苦自己，从未听过对君子这么简洁的定义。

从厨房出来，在厅里站着想了一会儿，几乎落下泪来。

做个深情的人

□冯 唐

《亚洲周刊》评选的"20世纪中文小说100强"，沈从文的《边城》排第二，鲁迅的《呐喊》排第一。当然，这是一刊之言，但也说明了它相当了不起。

这部小说的写作缘起是，沈从文和好朋友赵开明在泸溪县城一家绒线铺遇到了一个叫翠翠的美丽少女，赵开明发誓要娶她为妻。17年后，沈从文乘坐小船停靠在泸溪，他回忆着翠翠的美丽形象，朝绒线铺走去。绒线铺还在，他在门口意外地看到了一个跟翠翠长得十分相像的少女，熟悉的鼻子、眼睛、薄薄的小嘴，沈从文惊诧得说不出话来。原来这是翠翠的女儿小翠，当年的翠翠嫁给了追求她的赵开明。17年后，她已经死去了，留下了父女两个。沈从文没有再和赵开明打招呼。

沈从文就坐在他的院子里，在阳光下的枣树和槐树的阴影间写下了《边城》。《边城》中没有一个坏人，都是好人，但是没有一个人幸福。小说里流动着默默的深情，这种深情是人性重要的组成部分。🌰

(图/小粒团)

落到地面的那一天

□刘 墉

我见过许多学生，在参加高考之前，拼命地念书。然后在考取之后，拼命地玩。

我也见到许多父母，在孩子未上大学之前，严禁夜归；金榜题名之后，又突然解禁。

碰到这样的情况，我都会劝那些年轻人："你人生到此，就满足了吗？这点儿成功，算什么？"

当然，一些父母也有他们的想法。记得我参加哈佛大学一个毕业生的家长为孩子举行的毕业酒会时，那位著名的富豪举着一杯一百美元的酒，对宾客说："我今天真高兴，因为从现在起，他应该落到了地面，自己走他的路了。"

然后，那孩子只身到纽约，租了一小间公寓，自己打天下。他的父母不再像过去二十三年那样呵护他，他也没要求父母"供应"。他果然自己走自己的路。对！哈佛的文凭算什么？英国贵族的身份算什么？从今天起，你不努力，就什么也不是！🌰